THE SIGMA FORCE SERIES ⑮

ウイルスの暗躍

［下］

ジェームズ・ロリンズ

桑田 健［訳］

Kingdom of Bones

James Rollins

シグマフォース シリーズ⑮

竹書房文庫

目次

下巻

主な登場人物

グレイソン（グレイ）・ピアース……米国国防総省の秘密特殊部隊シグマの隊員
ペインター・クロウ……シグマの司令官
モンク・コッカリス……シグマの隊員
キャスリン（キャット）・ブライアント……シグマの隊員。モンクの妻
ジョー・コワルスキ……シグマの隊員
タッカー・ウェイン……元アメリカ陸軍レンジャー部隊の大尉
ケイン……軍用犬。タッカーの相棒
シャルロット・ジラール……フランスの医師
コート・ジェムソン……米国の医師
ベンジャミン（ベンジー）・フレイ……イギリスの大学院生
フランク・ウィテカー……米国の獣医・ウイルス学者
ンダエ……コンゴ民主共和国のエコガード
ウォコ・ボシュ……クバ族のシャーマン
ファラジ……ウォコ・ボシュの見習い
ノラン・ド・コスタ……コンゴ民主共和国の鉱山会社CEO
ドレイパー……ノランの部下
エコン……ノランの部下
ジョセフ・ティエンデ……「骨の王国」の王

ウイルスの暗躍　下

シグマフォース シリーズ ⑮

アフリカ
大西洋
中央アフリカ共和国
南スーダン
カメルーン
ベルカ島
イトゥリの森
コンゴ川
ウガンダ
コンゴ共和国
キサンガニ
(旧スタンリーヴィル)
ガボン
コンゴ民主共和国
ブラザヴィル
カサイ川
バンドゥンドゥ
タンザニア
キンシャサ
(旧レオポルドヴィル)
アンゴラ
ザンビア

第四部

捕捉

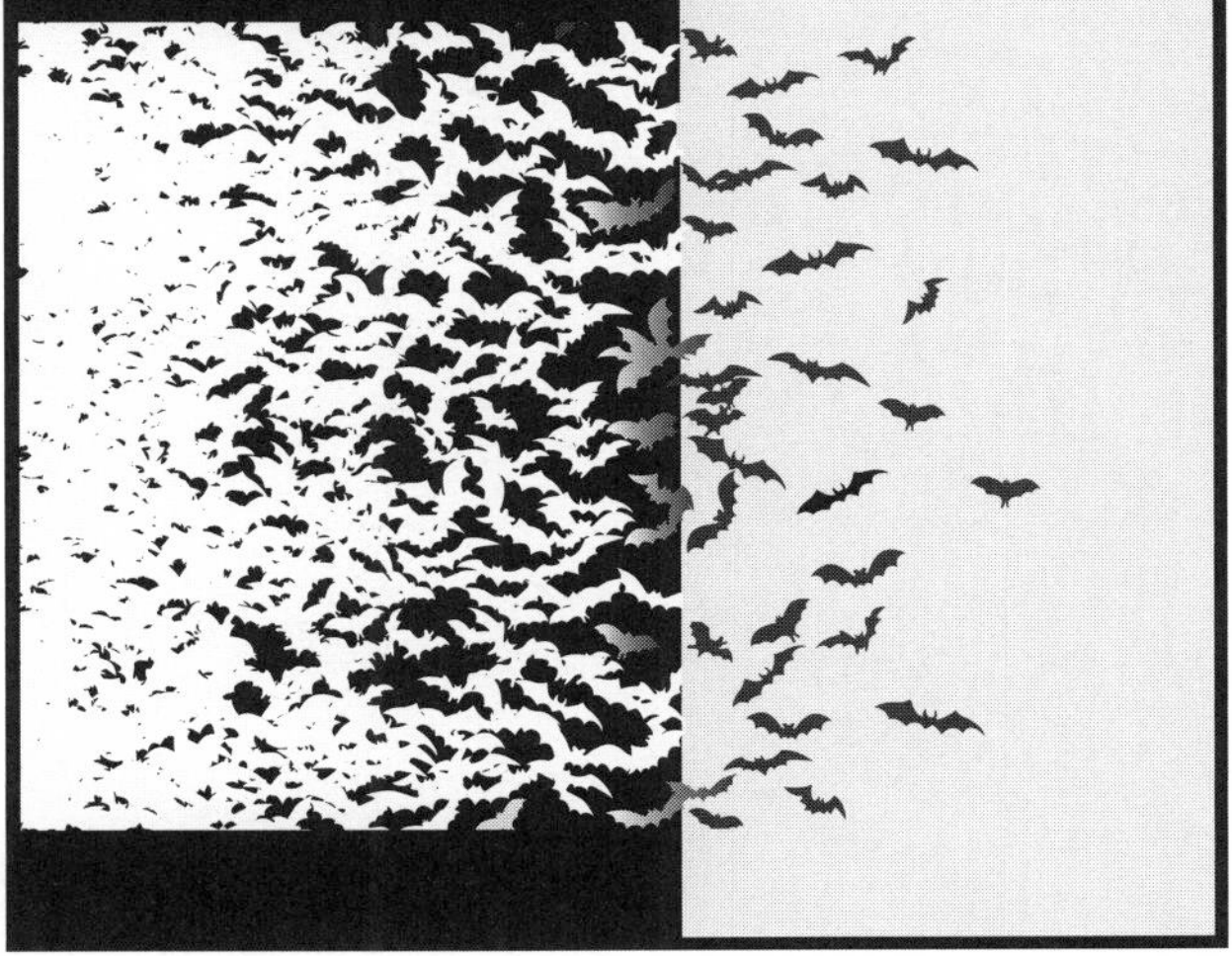

19

四月二十四日　中央アフリカ時間午後九時三十五分
コンゴ民主共和国　カトワ鉱山

タッカーは葉巻型のボートで真っ暗な川を疾走していた。雲の塊が星や月を隠してしまっている。暗い中にもかかわらず、タッカーはライトをつけずにボートを走らせた。暗視ゴーグルがあるので川の流れを十分に見て取ることができる。

タッカーは水面に浮かぶ丸太などの障害物を減速せずに難なくかわした。頭上の雲の奥で光る稲妻は、ゴーグルを通すと雲間から差し込む太陽光のように見える。

月明かりと星明かりがないのはありがたい一方で、敵に気づかれたくないとの思いをボートの悲鳴のようなエンジン音が妨げた。タッカーはその音が周囲のジャングルにこだまし、居場所の特定を困難にしてくれることを祈った――少なくとも、もうしばらくの間は。

「そっちはどうだ?」タッカーは隣に座る人物に訊ねた。

モンクはタッカーの無線機を手にしていて、ンダエと連絡を取り、ヘリコプターによる空からの救出を要請しようと試みている。「雑音だけだ」モンクが知らせた。

タッカーは罰当たりな言葉が口から出そうになるのをこらえた。すでに衛星電話も試したが、結果は同じだった。依然として通信が妨害されている。コンゴのこの地域一帯を遮断した人間は相当な財力を持ち、最新機器も備えていることは間違いない。もっとも、島内を巡回していたQ-UGVの数を考えれば、それは言うまでもないことだった。

「そいつはまずいぞ!」船首にいるフランクが叫んだ。盗んだ重機関銃を二脚に据え付け、銃口を前に向けている。「島のタワーからの妨害電波が届く範囲はとっくに抜けているはずなのに」

モンクがあきらめて無線を下ろした。「ド・コスタはこの一帯にほかにもタワーを設置したに違いない」

「きっとそうだと思う」ジェムソンとケインと一緒に船尾に座るシャルロットが言った。「あいつはここでの企みに金を惜しんでいないもの」

タッカーは歯を食いしばった。川岸に目を向けてほかのタワーがないか探すものの、それらしきものは一本も見当たらない。タッカーはここで進められていることを隠しているのは妨害電波だけではないはずだと思った。ド・コスタは各所に賄賂《わいろ》をばらまき、当局が自らの活動に目をつぶるよう仕向けているに違いない。

タッカーは進行方向に注意を戻した。鉱山町にかなり近づいているはずだ。町の明かりが上空の雲に反射していて、ジャングル内のどのあたりに位置しているのかを教えてくれている。

〈あと七、八百メートルといったところか〉

タッカーは速度を維持したまま町を通過するつもりだった。燃料計を確認する。レーシングボートはびっくりするようなペースで燃料を消費していた。それでも、タッカーはスロットルを全開にしたままだった。速度を落とせば全員の命が危険にさらされる。

タッカーは川を注視しながら湾曲部に沿ってボートを走らせた。急カーブを通り抜けた時、甲高い笛の音が鳴り響いた。真正面がまばゆい光の爆発に包まれる。暗視ゴーグルが光を増幅したため、視界が完全に遮られた。タッカーは息をのみ、本能的に速度を落とした。ゴーグルの暗視モードを解除する。まばたきを繰り返すうちに光の残像が薄れ、周囲は再び暗い影に包まれたが、前方だけは違っていた。

まぶしい光の列が川幅いっぱいに連なっている。タッカーはダムを照らす明かりではないかと思った。だが、まぶしさに目が慣れてくると、行く手をふさいでいるのは鋼鉄製の船体を持つはしけの列だとわかった。

「引き返せ!」フランクが伝えた。

タッカーは右舷側が斜め上になるまで船体を傾け、方向転換を開始した。銃声がとどろき、銃弾がボートの周囲の水面に着弾する。タッカーは船体を交互に傾け、暗闇の中で狙いを定めにくくした。そうしながらも方向転換を試みるものの、スピードが出すぎていた。流れにも押されるボートは投光器のまばゆい光へと急速に近づいていく。

フランクも危険を察知したらしく、船首から発砲した。重機関銃の発砲の衝撃が船体を震わせる。フランクははしけの甲板を狙って乱射した。次々とランプが砕け散り、その周囲が暗くなる。

一部の光が消えたおかげで、タッカーは二隻のはしけの間に隙間があることに気づいた。スリムな船体のボートがぎりぎりすり抜けられそうな幅だ。タッカーは方向転換を中止した。向きを変えたところでどこを目指すというのか？　もちろん、島に戻るわけにはいかない。

選択の余地はないと判断し、タッカーはボートの船首を再び下流側に向けた。

「しっかりつかまってろ！」タッカーはわめき、スロットルを全開にした。

ボートが前方に向かって急加速する。

新たな銃弾が川に降り注いだ。数発が船首付近に命中するものの、フランクはひるまずに応戦する。

〈あと少しだけ辛抱してくれ〉

正面のはしけが瞬く間に迫る。

その時、新たな光景が視界に入ってきた。大きなエンジン音とともにはしけの後方から太陽が昇り、高度を増していく。その正体はヘリコプターで、おそらくタッカーが島から離陸するのを目撃したのと同じ攻撃ヘリだろう。ヘリコプターははしけのバリケードの上空を越え、ボートに向かって急降下を開始した。

機体の下部が火を噴く。

「ロケット弾だ！」フランクが叫んだ。

タッカーは悪態をつき、急ハンドルを切った。船体が激しく回転し、水切りをした時の石のように水面を滑っていく。

左舷側で川が大きな水柱とともに爆発した。

ロケット弾がもう一発、船尾の後方に着弾する。

タッカーはボートの制御を取り戻し、スピードを上げてはしけのバリケードから離れた。上空を通過したヘリコプターは、ローターが垂直に近い角度になるまで機体を傾けて方向転換した。再びボートの方に向かってくる。このまま川にいては格好の標的になってしまう。

モンクがタッカーの袖をつかみ、もう片方の腕で川岸を指し示した。

タッカーにはその意図が理解できない――その時、ジャングルの切れ目に気づいた。この川に支流が流れ込んでいる地点だ。さかのぼった先がどこに通じているのかはわからないが、本流から離れた場所だということだけは間違いない。タッカーは速度を落とすことなくハンドルを切り、合流地点を目指した。今はとにかく、ジャングルの木々の下に隠れる必要がある。

タッカーの急な岸への方向転換に合わせて、ヘリコプターも旋回して追ってくる。

タッカーはハンドルに体がくっつきそうになるほどの前傾姿勢になった。

〈頼む……〉

ボートは時に船体が宙に浮くほどの、文字通り飛ぶような速さで川を横切っていく。

間もなく船首部分が支流の入口に達した。ぎりぎりの幅だが、もはや選択の余地はない。船体が隠れ場所に突っ込んだ。ジャングルの木々の下に入ると、たちまち周囲が暗闇に包まれる。

タッカーはゴーグルのボタンをタップし、暗視モードに戻した。

これ以上はないというタイミングだった。

前方の水路が大きく曲がっていた。タッカーは速度を落とし、カーブに合わせてハンドルを切った。カーブの外側の木々の枝が乗客たちにぶつかる。それでもどうにか曲がり切り、タッカーはほっとため息を漏らした。心臓が激しく鼓動を打っている。速度を上げたいと思うものの、川幅は狭くなる一方だ。竜骨が川底の石にぶつかる。

だが、それ以上は速度を落とさない——空に追っ手がいるのだから。

ボートの後方で爆発が起き、前に進み続けるよう後押しする。

次の瞬間、船底が水中に隠れていた岩に激突した。

ボートが宙に浮き、空中で大きく傾いた。船体が槍《やり》と化してジャングルに突っ込んでいく。ボートは巨大な木々の間を通り抜け、船首を下にして茂みに落下した。全員の体が船首側に飛ばされる。

タッカーたちが倒れるのに合わせて、エンジンが咳《せ》き込むような音とともに停止した。

最初に起き上がったのはモンクだった。「みんな、立て！　早く！　ボートから離れるんだ！」

タッカーにはモンクがなぜあわてているのかわかっていた。攻撃ヘリがサーマルセンサーを備えているのは確実だ。木々に覆われた下でも、熱いエンジンは夜に燃える石炭のように赤々と映ることだろう。

「手を貸して」シャルロットが必死の声で訴えた。

タッカーが声の方を見ると、女性がジェムソンを床から起こそうとしているところだった。男性医師は片腕を胸の前で抱えている。斜めに垂れ下がった状態で、前腕部のどこかが折れているようだ。タッカーは急いでそばに駆け寄り、二人とケインに手を貸して船の外に出した。朦朧《もうろう》としてうめき声をあげる小児科医をシャルロットと二人で抱え上げる。

タッカーたちはジェムソンを引きずるようにしてボートを離れた。

背後ではフランクが機関銃を取り外そうとしていた。

「放っておけ」モンクが叫んだ。「ジャングルの中を運ぶには大きすぎる」

フランクはその忠告を受け入れ、船首から飛び降りた。

モンクとフランクはすぐにタッカーたちに追いついた。急いで墜落地点を後にする。二十メートルも進まないうちに後方で大きな爆発が起きた。炎が高く噴き上がり、熱風が襲いかかる。轟音《ごうおん》を伴う震動で体が前に押される。

タッカーたちは燃え上がるボートの残骸《ざんがい》を振り返ることすらせずに、ひたすら前に進み続けた。

タッカーは爆発による熱風が自分たちの体温を隠してくれれば、その隙にジャングルの奥深くにまで逃げられるかもしれないと期待した。幸運なことに夜になっても気温は下がらず、湿度も高いままなので、そのことも自分たちの存在を隠す助けになりそうだ。だが、いずれはヘリコプターからジャングルに追っ手が放たれる。

「これからどこに行くの？」シャルロットが訊ねた。

タッカーには答えが一つしかなかった。

「ついてきてくれ」

午後九時五十五分

　モンクはジャングルの中の高台から木々を通して見える光の輝きを観察していた。ほかの人たちもすぐ近くでうずくまっている。重機の立てるうなり声にも似た低音やリズミカルな機械音がここまで聞こえてくる。

　タッカーが鉱山町の外れまでやってきた理由を説明した。「ジャングルの中を当てもなく逃げ続けるわけにはいかない。妨害電波の範囲がどこまで及んでいるのか、そもそもの方角に向かえばいいのかもわからない。今のところ、俺たちには短時間の猶予しかない。間もなく敵は次々と兵士を送り込み、このジャングルを徹底的に捜索するはずだ。待てば待つほど俺たちの望みは小さくなる」

「その一方で、敵は俺たちがあの町に堂々と乗り込むとは予想していない」フランクが付け加えた。

　タッカーがうなずいた。「俺たちにとって、あそこは外の世界と連絡が取れるかもしれないと期待できる唯一の場所だ。町には通信設備があるはずで、無線は妨害電波を回避できる特別な周波数に合わせてあると考えられる。それに今のところ、敵はジャングルに注意を向けているから――」

モンクは納得した。「その無線にたどり着くための絶好の機会を俺たちに提供しているわけだ」

「『俺たち』というのはフランクと俺のことだ」タッカーが補足した。

モンクは二人に険しい眼差《まなざ》しを向けた。「おい、待てよ……」

「気を悪くしないでほしいんだが、今のおまえは片手しかない」そう言うと、タッカーはシャルロットとその隣に座るジェムソンの方を顎《あご》でしゃくった。二人は木の枝を折れた腕の添え木代わりにしようとしているところだ。「それに誰かがここに残り、あの二人を守らなければならない」

モンクはため息をついた。確かにタッカーの言う通りだが、戦線離脱を余儀なくされるのは気に食わない。

「ケインも一緒に残していく」タッカーが申し出た。「町に連れていくと人目を引きすぎるだろうからな。それにここに残しておけば、敵の捜索が近くまで迫ってきた場合に警告を発してくれる。俺もケインのカメラを通して君たちから目を離さずにいることができるしな」タッカーがバックパックの中を探し、小型のデジタル機器とイヤホンを取り出した。「これは以前に使っていた装置だ。ＤＡＲＰＡが最新版にアップグレードしてくれたので不要になった。これがあればそっちもケインの目と耳を使うことができる。また、俺の方から連絡を入れることも可能だ。こちらの進捗《しんちょく》状況について、逐一報告する」

モンクはイヤホンを耳にはめた。「互いの距離が開きすぎない限りは、ということだな」タッカーが顎をさすり、町の明かりの方を振り返った。「向こうでは妨害電波がもっと強いと考えられるし」

「そういうことだ」

話が決まると、タッカーが手早くケインの装備の使い方を教えてくれた。その後、タッカーとフランクは出発し、ジャングルを抜けていった。モンクは二人が斜面を下り、町の人気《ひとけ》がない一角に向かうのを目で追った。

その姿が見えなくなると、モンクは残る二人の方に注意を向けた。手持ちの武器はエコンから奪い取った拳銃だけだ。木の幹に体を預けているジェムソンは目を半ば閉じていて、添え木を当てた腕を胸に押しつけている。

その隣ではシャルロットが、ケインの無線とカメラにつながる携帯型のデジタルトランシーバーを抱えていた。「すごい機能ね」つぶやき声が漏れた。

軍用犬は周辺の巡回に送り出されている。過去にケインと任務を遂行した経験のあるモンクは、彼が自分たちを守ってくれると信頼していた。

それでもなお、モンクは敵が接近する気配に耳を傾けながら近くを歩き回った。ヘリコプターの姿がないか空も確認する。上空からヘリのエンジン音は聞こえていて、大きくなったり小さくなったりを繰り返しているが、ジャングルを通して聞こえてくる音から正確な位置を特定するのは難しい。

顔を上に向けているうちに、モンクの耳は枝や葉がこすれ合うかすかな音をとらえた。翼がはばたく音も聞こえる。目を凝らしたものの、音の正体はわからない。数呼吸するうちに、音を立てた何かはどこかに移動したようだ。

鉱山町の方から甲高い汽笛が聞こえ、モンクはびくっとした。それに続いてもう一度、切迫感と緊急性を伴った響きだ。さらに別の汽笛も。

シャルロットが立ち上がり、モンクの隣に歩み寄った。「向こうで何が起きているの？」

モンクはゆっくりと首を横に振った。侵入者が発見されたのではないかと不安を覚える。「わから――」

突然、町でサイレンが鳴り響いた。最初は低い音で始まったが、すぐにけたたましい警報音に変わっていく。

シャルロットとモンクは不安そうに顔を見合わせた。ケインまでも目の届くところに戻ってきていた。背中を伸ばし、左右の耳をぴんと立てている。次の瞬間、周囲のジャングルがまばゆい光に包まれた。全員が思わず首をすくめる。ケインが光の届かない濃い影の中に姿を消した。林冠がガタガタと音を立てて震える――続いて光と騒音がモンクたちの上空を通過していった。

さっきのヘリコプターだ。

モンクが町の方に目を向けると、攻撃ヘリは着陸を急いで高度を下げていく。

「何かがおかしい」シャルロットが言った。

モンクも同じ考えだった。

〈だが、いったい何が？〉

午後十時十四分

フランクはタッカーとともに大きなトラクターの陰に身を潜めていた。二人とも鉱夫用のヘルメットと泥がこびりついた作業服を身に着けている。どちらも町外れの近くにあった人気のない宿舎から失敬したものだ。

〈この場にふさわしい格好の方がいい〉

汽笛が鳴り響くとすぐに、二人は身を隠せそうな場所を探した。何が起きているのかを見極めることができるまで、人目につかないように行動するのが得策だと判断したからだ。それに続いてけたたましいサイレンが響きわたったので、フランクの心臓の鼓動は速まる一方だった。

〈いったい何がどうなっているんだ？〉

タッカーがフランクの腕をつかみ、空を指差した。その方角を見たフランクが目にしたのは、一機のヘリコプターが町の上空を旋回し、露天掘りの鉱山の端にある軽量コンクリートブロック製の建物群に向かって降下する姿だった。

周囲よりも頑丈な建物が集まっているその一角は、二人が目指している場所でもあった。町に通信用の施設があるとすれば、そのあたりのはずだ。

そのほかの場所は今にも崩れそうな家屋が乱雑に広がっていて、鉱山が拡大するにつれて短時間で無秩序に建てられたのだろう。鉱夫用の建造物は波形をした金属板でできた小屋で、すっかり錆《さ》びついてしまっている。あたかもここの空気そのものがこの場所を分解しようとしているかのようだ――実際にそうなのかもしれない。

よどんだ空気には石炭の煙、下水、有毒ガスの悪臭が立ちこめている。そのすべての発生源がどこなのかは一目でわかる。明かりに照らされた露天掘りの穴はジャングルを深く切り裂いた真っ黒な傷跡も同然だ。数台の大型ブルドーザーとトラックがその斜面をけだるそうに動いている。

手前側に目を移すと、選鉱くずや掘り返した表土の山が吹きさらしになっていて、おそらく数十年は放置されていると思《おぼ》しき不要物からしみ出した重金属があちこちに不気味な緑色の水たまりを作っていた。

光までもが有害な何かを含んでいるように感じられる。フランクがこれまで真っ暗な地下の川や鬱蒼《うっそう》としたジャングル内で多くの時間を過ごしてきたせいなのかもしれないが、輝きを見ていると目が痛くなり、その存在は環境に対する侮辱そのもののように思えた。

「もっと近づかないとだめだ」高度を下げたヘリコプターが視界から消え、鉱山の中枢機能がある建物群の陰で見えなくなると、タッカーが提案した。

フランクはうなずいた。

二人が動き出すよりも早く、不意にサイレンが鳴りやんだ。

「あれはいったい何だったと思う?」フランクは訊ねた。

「それを確かめる方法は一つしかない」

タッカーが前を歩き、町の光が届かないこの一角に置かれている重機の間を縫うように進んだ。周囲には大型の機械が何台も並んでいるので、鉱山業務の中核を担う地点を目指す二人が身を隠せる場所はいくらでもあった。町のほかの場所とは違って、鉱石運搬用の車両や積み込み機、掘削機はどれも真新しく、手入れも行き届いているようだ。もっとも、こうした機械類はこの場所の運営において最もコストをかけなければならないものでもある。

その一方で、労働者はいちばんコストがかからない——それにいくらでも取り換えが利く。

フランクは多くの重機が置いてある場所を通り抜け、顔をしかめた。その先に広がるのは今にも壊れそうな掘っ立て小屋やぼろ屋で、トイレは屋外に簡素なものがあるだけだ。

ド・コスタがどのような手段で財を築いたのかは一目瞭然だった。

〈現地の人たちを搾取し、その血までも吸い尽くすことによって〉

その一方で、フランクはそれが世の中の実情だということも理解していた。権力の座にある者が社会の最下層に暮らす人間、あるいは肌の色が異なる人間など、最も安上がりな労働力を酷使している例はいくらでもある。

タッカーがダンプカーの脇で立ち止まった。「ここの人たちはどこにいるんだ?」

フランクは目の前の問題に注意を戻した。人のいないあたりを選んで町に侵入したので、鉱夫や労働者の姿を見かけないことはそれほど気にしていなかった。だが、ここから先は人が暮らしている地区のように見える。暗い通り沿いには焚《た》き火の跡があり、まだ煙が昇っている。どこからか音楽が聞こえる。だが、ライトの下を数人の人影が小走りに動いているだけで、その人たちもすぐに暗がりや小屋の中に消えてしまった。

鉱山から聞こえていたブルドーザーの音も鳴りやんでいた。

「サイレンだ」フランクは指摘した。「町を封鎖しろという命令だったのかもしれないぞ」

「なぜだ?」

「わからない。もしかすると、連中は俺たちがここに忍び込むかもしれないと思い、捜索しやすいよう全員を屋内に入れたかったんじゃないか?」フランクは鉱山業務の中心部を指差した。そのあたりはここよりも明るく照らされている。「見ろ」

コンクリートブロック製の建物が集まった周辺であわただしい動きがある。黒い防弾着姿の兵士たちが駆け回っていた。投光器が点灯すると何本もの光の筋が空に伸びて周囲を照らし、低く垂れ込めた黒雲の下に模様を描いた。

「おまえの言う通りかもしれないな」タッカーが言った。

「これからどうやってあそこに入り込めばいいんだ？」

「もっと近寄って調べるとしよう。何か方法がわかるかもしれない。どっちにしろ、ほかに選択肢があるわけでもないし」

タッカーが労働者たちの小屋の立ち並ぶ薄暗い一角に足を踏み入れた。二人とも鉱夫用のヘルメットを深くかぶり、顔を隠しながら進む。特にタッカーの場合は注意が必要だ。少なくともフランクの肌の色は、地元の人たちの間に交じっても不自然ではない。タッカーはホルスターのデザートイーグルに手のひらを添えている。フランクも腰にセミオートマチックを携帯していた。シャルロットが島で死んだ兵士から奪ったスイス製のスフィンクスＳ３０００だ。

不意にタッカーが建物の壁から飛びのくようにして横に移動した。小屋の中から人の声がする。誰かが咳《せき》をした。だが、タッカーを驚かせたのは壁の向こう側にいる人間の存在ではなかった。

ぬかるんだ道の先にうつ伏せに倒れた死体がある。

フランクは足早に横を通り過ぎてから後ろを振り返った。

〈どういうことだ?〉

二人は迷路のように入り組んだ路地や狭い隙間を歩き続けた。別の死体を発見する。ここは明らかに何かがおかしい。フランクは死体のところで立ち止まり、だらりとした腕を持ち上げた。死後硬直は見られない。まだ温かい。つまり、死後間もないということだ。寒気を覚え、フランクは腕を離した。

タッカーが小声で早く来るように指示した。フランクは仲間のもとに急いだ。次の曲り角でタッカーが歩みを止め、手招きする。

フランクは固唾《かたず》をのみ、慎重に近づいた。

その先には小さな広場があった。片側には火の消えた煉瓦《れんが》製のかまどがある。点々と置かれた黒い樽から煙が出ているのは、ごみでも燃やしているのだろう。広場の中央には防水シートをかぶせた死体が並べられていた。シートの端から足先だけが突き出ている。

〈また死体だ。十数人はいる〉

小石と死者の小さな身の回り品で作った祈禱《きとう》用の石塚がいくつかできていた。ろうそくも燃やされているが、そのほとんどは融けた蠟《ろう》が水たまりのように広がっている。ろうそくがほぼ燃え尽きているということは、死体はだいたい一日前からここに置かれていることを意味する。つまり、鉱山町で発生した何かもそれと同じ頃、昨夜のうちに起きたことになる。

〈しかし、いったい何が？〉

タッカーが端に寄って広場を通り抜け始めた。二人とももう嫌というほど、人の死や死体を目にしてきた。それでも、フランクは広場の中央に向かい、防水シートに近づいた。

「何をしているんだ？」タッカーがささやきかけた。

「何が起きたのかを知りたいんだ。重要かもしれない」

タッカーは舌打ちをしたが、それでも近づいてきた。「手短にやってくれ」

フランクは手を伸ばして一枚の防水シートをめくった。いつもの腐臭が漂ってくる。熟した肉のにおいに吐き気を催す。たかっていたハエが怒りの羽音とともに飛び立った。フランクは手でハエを追い払い、二体の死体を観察した。仰向《あおむ》けに寝かされていて、手足は死者を敬ってきちんとした位置に直してある。

銃弾の跡も、大量処刑もしくは武装勢力による攻撃の証拠も見当たらない。フランクは手前の遺体の傍らに片膝を突き、男性の喉《のど》から頬《ほお》にかけて広がる大きな傷跡を調べた。肉が融けてしまったらしく、皮膚もその下の筋肉も液体と化している。壊死《えし》した組織の隙間から白い骨がのぞいていた。

「何が原因でそんなことに？」タッカーが訊ねた。

「毒物のせいだ」

「何の？」

　フランクは首を左右に振った。隣に寝かされた死体にも同じような傷が見られるが、どろどろになっているのは腕の肉だった。何者かが腕を酸の中に浸したかのような状態だ。

　フランクはおそるおそる腕を持ち上げ、全体を詳しく調べた。男性が着ているのはしみの付いた白のTシャツにボクサーパンツ一枚で、寝ている間に死亡してここまで運ばれたようだ。そうだとすると、ここの死体の多くは昨夜のうちに命を落としたのではないかという先ほどの仮説の裏付けになる。さっき通りに倒れていた死体はもっと後になって、この一時間ほどのうちに息絶えたに違いない。

「明かりが必要だ」フランクはタッカーに伝えた。

　旧友がペンライトを取り出してスイッチを入れ、まぶしい光が外に漏れないように左右の手のひらで覆った。死体の腕をより詳しく調べたところ、組織の液状化が太い血管に沿っていて、壊死は木の根のような形で広がっていることが判明した。

　フランクは死んだ男性の腕に延びるその線を始点までたどろうとした。Tシャツの袖をまくると、肩に二つの深い刺し傷がある。フランクは傷を間近から観察した。

〈まさか……〉

　このような傷跡には見覚えがあった。自分の体の似たような傷を何度となく手当てしたことがある。しかし、この傷はそれとはまったく別物だ。フランクは壊死を引き起こす毒素がこの傷口から血管を伝い、その周囲の肉を融かしていく様子を思い浮かべた。

「それは何だ?」タッカーが質問した。

判明した事実にめまいを覚えながら、フランクは立ち上がった。夜空を見上げて雲を凝視する。その奥で稲光が走った。閃光《せんこう》が雲の下の黒煙に似た一筋の動きを浮かび上がらせる。

フランクは町の中心部に目を移した。空に向けられた投光器がほかにも同じような黒い動きを照らし出していた。影の塊が雲間から見え隠れしている。

不意にフランクは、サイレンが何に対する警告だったのか、町の通りになぜ人がいないのかを理解した。

タッカーも空を見上げていた。「あれは何だ?」

フランクは答えた。「コウモリだ」

午後十時三十一分

シャルロットはヤシの木の幹にもたれかかっていた。両手で抱えたトランシーバーをじっと見つめる。ケインのカメラの映像から、犬がゆっくりと弧を描きながら、自分たちとジャングルの奥深くの間を移動しているのがわかる。モンクもそれと同じように、ただしケインとは反対側で弧を描くように歩いている。見張りをしている間も、下に見える町への警戒を怠らない。

数分前に突然サイレンが鳴りやんでから、全員がいっそうぴりぴりしていた。ジェムソンも立ち上がっていて、添え木を当てた腕をもう片方の手で抱えている。痛みのせいで目はうつろだ。出発前、タッカーはバックパックの中にあった小型の救急セットからオキシコドンを二錠、ジェムソンに手渡した。薬は苦痛を多少和らげる程度の効き目しかなかったようだ。

モンクが戻ってきた。

「タッカーから何か連絡は？」シャルロットは訊ねた。

モンクは首を横に振った。「町の外れに到着して以降はない。まったくの無音だ。このあたりの方が妨害電波は強いというタッカーの予想は当たっていたみたいだな」

シャルロットもすでに同じことを案じていた。トランシーバーに表示されるケインのカメラからの映像がたびたび固まってしまっていたからだ。

ジェムソンが大きく息を吸い込んだ。「じゃあ、どうすればいいのだ？」

モンクが肩をすくめた。「待つだけだ。ほかにどうすることもできない」

ジェムソンは眉をひそめた。「島に残っているべきだったよ。あの場所を離れたせいでとんでもない目に遭ったじゃないか」

シャルロットもその意見を否定できなかった。ディサンカと赤ん坊の姿を思い浮かべる。二人を見捨てたことに対する罪悪感がどうしても消えない。〈それも何のために？〉

重苦しい雰囲気に包まれ、三人はそれぞれの物思いにふけった。ジェムソンは再び地面に腰を下ろし、腕をかばいながら不機嫌そうに背中を丸めている。シャルロットは木の幹に寄りかかり、モンクはいらいらした様子で警戒を続けた。

シャルロットはケインの様子をじっと見つめた。敗北感に打ちのめされていないのは彼だけだ。強い決意を持って巡回を続けるその姿に、シャルロットは元気づけられた。ケインと一緒にジャングルを歩いているような気分になり、感覚が研ぎ澄まされていく。

頭上の葉がこすれ合うかすかな音が聞こえた。それとともに、木の枝がぶつかるような小さな音も。シャルロットは音の方を見上げた。自分たちの存在で巣の中の鳥が落ち着きをなくしているのだろう。小さな輝きがシャルロットの目に留まった。点滅を繰り返すその光は、あたかも心臓が鼓動を打っているかのようだ。シャルロットは目の錯覚だと思いたかった。または、木々の間を抜ける光が揺れているだけなのかもしれない。けれども、それにしてはあまりにも規則的な点滅だった。

〈あれは何なの？〉

不意にモンクが駆け寄ってきたので、シャルロットはびくっとした。片手で耳を押さえている。「ケインがうなり声を発している」モンクが知らせた。

シャルロットははっとして背筋を伸ばし、二人で画面を見られるようにトランシーバーを持ち上げた。小さな画面に表示される映像は静止していて、通信状況がよくないせいでまた固まってしまったみたいだ――その時、画面に映るシダの葉が揺れた。シャルロットはケインが歩みを止め、じっと動かずにいるのだと気づいた。

目を凝らし、何が犬を警戒させたのかを見極めようとする。

〈向こうに何がいるの？〉

モンクがトランシーバーに手を伸ばし、側面のボタンを押した。カメラからの映像が濃淡の異なる緑色の世界に変わる。〈暗視モードね〉画面の奥にぼんやりと輪郭の浮かび上がった人影が、ジャングルを縫って慎重に近づいてくる。

六人、もしくは七人いる。

「立て」モンクがジェムソンに指示した。それに続いて喉にテープで留めたマイクに指を触れ、「戻ってこい」とケインに伝えた。

画面の中で犬がほとんど葉を揺らすことなく後ずさりを始めた。

シャルロットが画面を見続けていると、ケインがその場を離れるのに合わせて人影も再び暗がりに溶け込んで見えなくなった。だが、敵の兵士は真っ直ぐこちらに向かってきた。自分たちが見つかってしまったのかどうかはわからない。ハンターの側が幸運に恵まれただけかもしれない。彼らは町を目指していて、たまたまその通り道にシャルロットたちがいただけかもしれなかった。

いずれにしても、ここにとどまってはいられない。

モンクが後ろを指差した。「町に下りる」小声で指示があった。「隠れられる場所がもっとあるはずだ。下ならばタッカーと無線で連絡が取れるかもしれない」

ケインが戻ってきた。その目はらんらんと輝いている――ただし、視線は上の方に、ジャングルの林冠に向けられている。そのことに気づいたのはシャルロットだけだった。

モンクが二人を急がせた。「さあ、行くぞ」

その場を離れようとした時、シャルロットは再びさっきの不思議な音を耳にした。木の間から何かが飛び立った。やわらかい光を点滅させながら飛行している。シャルロットはそれを無視してほかの人たちの後を追った。斜面までたどり着き、できるだけ音を立てないように下っていく。行く手に見える町の光がより明るく感じられる。

モンクはタッカーとフランクがどこから町に入ったのかわかっていて、同じルートを使おうとしているらしかった。一行は斜面を下り切り、慎重にジャングルの外れに近づいた。後方から警戒を呼びかける声は聞こえてこないので、ひとまずは見つかることなく移動できたと判断するしかなかった。

シャルロットは木々の隙間から錆びついた金属製の小屋を観察した。低い建物が長く連なっていて、かつて兵舎だったところかもしれない。建物は暗く、人の気配はない。そもそも町のこの一角には明かりがなく、まるでさびれた迷路のようだ。

〈隠れるには間違いなく格好の場所〉

モンクも同じことを考えたに違いない。「こっそりあそこに潜り込んでから、隠れる場所を探そう」

三人と一頭はひとかたまりになって歩き始めた。モンクがケインと並んで前を歩く。シャルロットはジェムソンに付き添った。小児科医は足を踏み出すたびによろけてしまう状態だ。痛みと薬のせいで朦朧としているのは明らかだった。

それでも、真っ暗な小屋が立ち並ぶところまで無事にたどり着いた。

モンクが立ち止まり、手のひらで耳を押さえた。眉間《みけん》にしわを寄せて何かを聞き取ろうとしている。やがてその手を下ろし、二人の顔を見た。暗がりの中でも目を大きく見開いているのがわかる。

「どうしたの？」シャルロットは訊ねた。

「タッカーから途切れ途切れの連絡が入った。そしてすぐに切れてしまった。ちゃんと聞き取れたのは一部だけだ」

ジェムソンは今にも吐きそうな顔をしていた。「彼は何と言っていたのだ？」

「警告だ」

「何についての？」

「彼が言っていたのは……」モンクが周囲を見回した。「『何があろうと町には来るな』だ」

午後十時四十八分

うずくまった姿勢のまま、タッカーはモンク、またはほかの誰かからの応答に聞き耳を立てた。だが、あきらめるといらだちを隠そうともせずに首を左右に振った。

「君の言葉は届いたのか？」フランクが訊ねた。

「何とも言えない。だが、俺の機器の方が彼らに預けたものよりも新しいし、電波も強い。向こうは聞こえたものの、返事ができなかったという可能性もある」

「それなら、届いたことを願うよりほかないな」フランクが前に向かって手を振った。「先に進もう」

二人は再び歩き始めた。粗末な小屋が集まった地域を横断し、コンクリートブロック製の建物群を目指す。タッカーは空への警戒を続けた。稲妻が空を照らすたびに、黒雲の下を飛び交うコウモリの大群が浮かび上がる。前方では光の筋が空に向かって伸びていた。

〈そのまま空を見続けていろ〉タッカーは心の中で敵に呼びかけた。

タッカーとフランクは敵が空からの脅威に気を取られていて、そのことが中枢施設に潜入する自分たちに味方してくれることを期待した。全員の目が空に向いていれば、発見されることなく通信施設に忍び込める可能性が高くなる。

それでも、タッカーは姿勢を落として走り、鉱夫用のヘルメットでうなじを守った。死体の融けた肉とどろどろになった皮膚を思い浮かべる。フランクからは島のチーターに毒液という変異が見られたことについての説明を受けた。また、一部のコウモリは唾液《だえき》に抗凝血性の物質が含まれていて、噛まれた後の血流を促進させることも教わった。獲物の動きを麻痺《まひ》させる酵素を持つ種もいるそうだ。変異ウイルスはここのコウモリのコロニーが持つ武器を強化させ、血管内で酸に似た影響を及ぼす壊死性の酵素を与えたらしい。コブラやマンバの毒液に含まれる毒素のようなものだが、それよりもはるかに強力だ。

ありがたいことに、今のところ群れは空中にとどまっている。

〈そのまま飛んでいてくれ〉

タッカーは最後の小屋を回り込み、その陰で立ち止まった。前方にはコンクリートブロック製の建物がそびえていて、そのまわりを取り囲む高さ三メートルほどの壁の上には有刺鉄線が張り巡らしてある。数カ所に分厚い鉄板で守られた鋼鉄製の足場が組まれていて、監視塔の役割を果たしていた。ここにもロシア製の重機関銃が設置されている。

フランクが物欲しそうな目で武器を見た。

タッカーは顔をしかめただけだ。

〈ド・コスタはロシアと取引してあれを大量購入したに違いない〉

それに加えて、監視塔は通路で結ばれていた。塔の間を巡回する防弾着姿の兵士たちが携帯しているのはFN FALバトルライフルだ。壁の向こう側では三台のトラックが警戒に当たっていて、その荷台にも機関銃が据え付けられていた。

タッカーは眉を吊り上げてフランクの顔を見た。

〈この城を攻略するのは容易じゃないぞ〉

ただし、幸運にも、と言っていいのかどうかはわからないが、敵の拠点を訪れているのはタッカーとフランクだけではなかった。監視塔とトラックの荷台の機関銃は、すべて上に向けられている。警戒に当たる兵士たちも同じ方向を見ていた。

タッカーは物陰の奥に下がり、フランクを近くに呼び寄せた。「何か案は?」

友人から答えが返ってくるよりも早く、上空から耳障りな音が聞こえてきた。最初は小さな音で、耳に聞こえるというよりも体に伝わるという感じだった。耳がむずむずし、頭蓋骨がしびれる。やがて音量が急激に上がった。ほんの一瞬で頭が燃え上がり、耳に火がついたような感覚に変わる。タッカーは手のひらで頭を叩き、その感覚を抑えようとしたが、効果はなかった。耳の中の小さな骨が引き裂かれるのではないかと思うほどだ。

過去の二度の砂漠での戦闘中に、タッカーは軍が群衆制圧を目的に採用した非致死性の武器にさらされたことがあった。超音波を発生させる音響兵器で、それを浴びた人間は苦しみ悶《もだ》え、体の自由を奪われてしまう。だが、何千もの小さな喉から地上に向けて放たれるこれの方がはるかに強力だ。

フランクが体を縮こまらせながら空を見上げた。

このコウモリのコロニーが新たに入手した武器は壊死性の酵素だけではなかったのだ。タッカーはもう一つ、奇妙なことに気づいた。真っ黒な群れの中に光り輝く点や筋が確認できる。まるで警告を与えているかのようでもあり、互いに連絡を取り合っているかのようでもある。

タッカーは固唾をのんだ。

この町が昨夜もコウモリたちの攻撃を受けたことは間違いなさそうだ。群れはここの侵入者たちを、自然界を冒瀆《ぼうとく》する人間たちを追い払おうとしているのかもしれない。タッカーはベンジーの話を思い出した。大勢の人であふれ返った国連のキャンプ、垂れ流された汚物、増える一方だったコレラ患者。あのキャンプも同じ理由から襲撃を受けたのだろうか？

タッカーは露天掘りの大きな穴、立ち昇る石炭の煙、有害物質の水たまりを見渡した。

〈ここの方が自然に対するはるかに大きな侮辱だ〉

超音波による攻撃が少しだけ弱まり、その隙にフランクがタッカーの痛めつけられた耳に向かって叫んだ。コウモリの方を指差している。「あいつらは我々を威嚇《いかく》しようとしている！」

「ああ、効果はてきめんだよ」

フランクが夜空を見上げた。「危険な動物、なかでも毒を持つ種は、まず敵を近づけま

いと、追い払おうとする。その際には視覚と聴覚に訴える。サンゴヘビは鮮やかな縞模様《しま》

で、ガラガラヘビは威嚇音で」

タッカーはなおも続く音による攻撃に顔をしかめた。

〈俺たちはその警告に従うべきなのかもしれない〉

あいにく、その思いはここにいる人間全員の共通認識ではなかった。

ライフルの発砲音が壁から立て続けに鳴り響いた。機関銃が火を噴き、曳光弾《えいこう》が夜空に

光の弧を描く。ほかの場所からも空に向けて炎が噴き上がった。

反抗的な態度は相手に認識された。

上空のコロニーが急に静かになり、発光も止まった。

警告の時間は終わった。

大群が音もなく町に向かって急降下を開始した。

午後十一時四分
コンゴ民主共和国　ベルカ島

ノラン・ド・コスタはコンピューターのモニターに顔を近づけた。「カトワの状況はどうだ、大尉？」

ドレイパーが鉱山の事務局内に設置されたカメラの前に前かがみの姿勢で立っていた。ケブラーのヘルメットをかぶった兵士の顔は赤く輝いている。顔面を幾筋もの汗が流れ落ちていた。恐怖のせいではない。激しい怒りからだ。その背後では銃声が鳴り響き、悲鳴やわめき声も聞こえる。

「町はまたしても襲撃を受けています」ドレイパーが報告した。「昨夜と同じです。ただし、状況ははるかにひどい」

ノランはため息をついた。今朝の報告は誇張されたものだろうと考えていた。だから午前中にドレイパーを現地に派遣し、パニックを抑え込もうとしたのだ。その目的のため、ドレイパーは到着直後に数名の職場放棄者たちを射殺し、より大きな恐怖を植え付けた。だが、この新たな攻撃により、そのような脅しはもはや通用しなくなった。

町はさらなる大きな恐怖に直面している。

ノランのコンピューターの画面にはほかに二つのウィンドウが開いていた。そのうちの一つに表示されているのは死んだ労働者の背中から首にかけて広範囲に広がる壊死した部分だ。ジャングルで発生している新たな突然変異を示すさらなる証拠に当たる。ノランは首を左右に振った。影響を受けた種の数の急増が彼を悩ませていた。コンゴ民主共和国内を西に向かって拡散しているように思われる。

〈そして私の島はその進路上に位置している〉

もう一方のウィンドウには鉱山の最新の四半期損益計算書が表示されている。ノランは最終損益の数字を見て顔をしかめた。この鉱山はほぼ掘り尽くしてしまっている。次の、もしくはその次の四半期以降は赤字になりそうだ。

ドレイパーの声がノランの考えに割り込んできた。「どのように対処しますか？　偵察部隊からの報告だと、島から逃亡した者たちの発見にはまだ至っていません」

それもまた別の懸念材料だった。

ノランは目を閉じ、唇の前で左右の手の指先を合わせた。銃声と悲鳴に耳を傾ける――やがてある結論に達する。

ノランは目を開いた。「我々のすべての問題を一度に解決できそうだ」ノランは指折り数えながら直面する問題を列挙した。「カトワ鉱山は利益の出る段階が終わりつつある。逃亡した囚人たちはおそらくまだ近くにいるはずだ。それに私が理解するところでは、ほとんどの目撃者たち――いや、労働者たちは町の中で身を潜めている」

「はい、そうです」

「それならば、すべてをきれいに片付けるのが最善の策だろう。そうすることで、その有害なコロニーも同時に世界から排除することができるのではないかな」

ノランの意図を理解し始めたらしく、ドレイパーの顔から血の気が引いた。

「安全装置の準備を開始しろ」ノランは大尉が予想しているはずの言葉を発した。

「ＭＯＡＢ《モアブ》ですか？」

ノランはうなずいた。

ＧＢＵ-43／Ｂの制式名称を持つ兵器の通称ＭＯＡＢは Massive Ordnance Air Blast（大規模爆風爆弾兵器）の略だが、Mother of All Bombs（すべての爆弾の母）の呼び方でも知られる。ノランの用意周到な頭脳は常に不測の事態に備えている。五年前のこと、ノランはＣＥＯがギャンブル癖を抱えている軍需会社から、重量十トンのＭＯＡＢ七発を購入できる機会に巡り合った。米軍は爆弾が同盟国に配分されるものと思っていた。通常は一発当たり二十万米ドルの費用がかかる。ノランはその三倍の金額を支払って全七発を購入し、その痕跡《こんせき》を消すためにさらに十万米ドルをばらまいた。

その後、それぞれを自らの業務の戦略的に重要な地域の地下に埋めた。

安全装置として。

その場所を抹消する必要に迫られた場合に備えて。

〈それが今だ〉

ＭＯＡＢは地中貫通爆弾として設計され、トンネルをはじめとする地下施設の破壊が可能だ。その威力は小型の戦略核兵器に匹敵し、爆発半径は周囲一・五キロに及ぶ。

ノランは爆発を労働災害として片付けるつもりでいた。詳しい調査はコンゴ民主共和国政府内にいる彼の息がかかった人間によって阻止されるだろう。それに加えて、鉱山に掛けている保険から支払われるはずの多額の保険金は、収益の落ちつつある鉱山から得られると予想される金額をはるかに上回るはずだ。

〈全体で見ればウィンウィンの状況だ〉

計画に満足すると、ノランはドレイパーの表情に浮かぶ疑問への答えを提供した。「君の部下たちについてだが、呼び集めて撤収するまでにどのくらいの時間がかかりそうだ？」

「四十分もあれば」ドレイパーが答えた。この質問を予期していたのは明らかで、そのことが彼の人間および兵士としての優秀さを示している。

「君にもう少しだけ時間の猶予を与えるのがよさそうだな、大尉。君たちが確実にその場所から安全な距離を置けるように」

ドレイパーが姿勢を正し、すぐにでも命令の遂行に移ろうとする。「ありがとうございます」

ノランは画面に向かってうなずいた。「安全装置のタイマーを午前零時にセットする」

20

四月二十四日　中央アフリカ時間午後十一時八分
コンゴ民主共和国　イトゥリ州

グレイはＡＴＶの後ろに立ち、コワルスキを見守っていた。大男はふくらはぎまで水に浸かり、ぬかるみから足を引き抜きながら移動しているところだ。ＡＴＶの四本のタイヤの残る一本のところにたどり着くと、ステムのキャップを外してゆっくりと空気を抜き始めた。

湿地帯に入って間もなく、沼地の泥に車軸のあたりまではまり、身動きが取れなくなってしまった。そのため、タイヤの空気を少し抜き、トレッドの表面積をより大きくすることで、泥から抜け出すための摩擦力を余分に引き出そうと考えたのだ。

「どんな感じだ？」グレイは穏やかな水面を監視しながら声をかけた。懐中電灯と一緒にケルテックの拳銃をしっかりと握っている。ＡＴＶの車外に出るリスクは十分に承知しているので、心臓が今にも口から飛び出しそうだ。

あたりは真っ暗闇に包まれていた。林冠の隙間からわずかにのぞく夜空はすっかり雲に覆われてしまっている。弱い雨が降っているかのような濃い霧が空気中に立ちこめていた。まわりは蚊の羽音でうるさいほどだ。カエルの鳴き声が聞こえる。侵入者の存在が気に食わないのか、鳥やサルが湿地帯の奥から抗議の声をあげている。

「ほぼ完了」コワルスキが不機嫌そうに答えた。

「空気を抜きすぎたらパンクさせたのと同じことになるぞ」

「自分が何をしているのかはちゃんとわかっているよ、ピアース。泥にはまったのはこれが初めてじゃないんだからな」コワルスキがぶつぶつ文句を言いながらタイヤのステムのキャップを元に戻した。体を起こし、高さ一メートル七十センチのタイヤをぽんと叩く。

「ほら見ろ。まだ十分にクッション性があるだろ」

「だったら中に戻るぞ。再び出発だ」

コワルスキが開けたままのリアゲートまで帰ってくるのを待ってから、二人はATVに乗り込んだ。運転席に戻るコワルスキを通すためにベンジーが脇にどく。ファラジはこの先にあるヒョウの王の村までの案内を続けようと、助手席で前方に目を向けている。ウィリアム・シェパード牧師がたどった道筋にある次の目標がその村だ。

グレイはため息をついた。

〈車が動いてくれればの話だが〉

一行は一時間半ほど移動を続けていた。グレイの予測ではすでにツォポ州を抜け、コンゴ民主共和国のさらに奥地でジャングルがより深い隣のイトゥリ州に入っていると思われる。そろそろ放棄されたクバ族の村の近くまで来ているはずだった。

コワルスキはエンジンをかけてアクセルをいっぱいに踏み込み、タイヤをぬかるみから引き抜こうとATVの車体を前後に揺らし始めた。大量の水と泥が周囲にまき散らされた。

小型のサルの群れが林冠を伝いながら水と泥の大噴射から逃げていった。数匹が大きな音とともに屋根に着地し、すぐに飛び跳ねて去っていく。そのうちの一匹がサイドウインドー越しにグレイたちに向かって甲高い鳴き声を浴びせた。小さな顔を怒りで歪《ゆが》め、針のようにとがった歯をむき出している。

「アレノピセクス・ニグロヴィリディス」ベンジーが言った。群れのほかの仲間たちを追いかけてサルが逃げると、大学院生はガラスの近くで首を曲げ、その姿を目で追っている。「アレンモンキーだよ」

「今のサルは普通の状態に見えたか？」グレイは訊ねた。

ベンジーは肩をすくめた。「たぶん……そうだと思う」

ファラジが別の観点から意見を述べた。「とてもおいしい。いい食べ物」

コワルスキがうめいた。「俺は遠慮しておくよ、坊や」

大男はＡＴＶを揺らし続けた。運転席に座ったまま巨体を前後に動かしている。自分の体重をかければその分だけ効果があると言わんばかりの動きだ。

　本当にそうだったのかもしれない。

　コワルスキが体を前に傾けた瞬間、ＡＴＶがぬかるみから抜け出た。再び動き始めてしばらくの間、四人とも車内で激しく揺さぶられる。そのうちに車の走行が安定し、さらに深くなっていく湿地帯を順調に進み始めた。

「ほらみろ。朝飯前さ」コワルスキが勝ち誇ったように言った。

「そう、朝飯にもいい」ファラジが付け加えた。「朝に食べてもとってもおいしい」

　コワルスキが少年の肩をぽんと叩いた。「なるほどな。でも、サルの丸焼きはおまえに全部やるよ」

　ファラジは大真面目にうなずいた。「ありがとう」

「スピードを落とすな」グレイは注意した。「一定の速度を保つこと。また泥にはまるような事態は避けたいからな」

「後ろからごちゃごちゃ口を出すのはいいかげんにしてくれ」コワルスキが上半身をひねり、グレイをにらんだ。「おまえが運転してくれるのか？　俺は喜んで仮眠を取らせてもらうぞ」

　グレイは手を振って運転を続けるように促した。全員がぴりぴりしているのはわかっている。重苦しい暗闇、ジャングルの圧迫感、さらには睡眠不足も相まって、全員がいらだった状態にある。

「悪かった」グレイは言った。「いいから運転を続けてくれ。ファラジの言うことを聞くように」

車が前に進む中、グレイはタブレット端末の画面で輝く地形図に注意を戻した。ここまで三十分に一度、ＧＰＳに接続して座標を記録したらすぐに遮断するという作業を繰り返し、おおまかな道筋を残してきた。自分たちの動きを明かすようなリスクは冒したくなかったが、このあたりはまともな目印のないジャングルの奥深くだ。ファラジでさえも半ば水没したジャングルを自信のなさそうな顔で見ている。

グレイは地図と周囲の地形を比べた。シェパード牧師のかつての伝道所を出発して以降、標高は下がり続けている。ジャングルのこの付近は通常なら湿地帯ではないのだろう。モンスーンによる大雨でこのあたりの低地が水浸しになってしまったのだ。

一キロ進むごとにグレイの不安は高まっていった。そのうちにＡＴＶの激しい上下動が穏やかな揺れに変わった。洪水に見舞われた一帯の水かさが増したため、車体は再びアヒルのように水面に浮かんだ。回転するタイヤが外輪となり、車を前に進める。速度が大幅に落ちた。

ジャングルがさらに鬱蒼としてきた。ラフィアヤシとレッドシダーが密生している。どこに目を向けてもランの花が垂れ下がっている。つる植物のカーテンが絡みついて行く手を阻む。グレイたちは二度も鉈《なた》でつるを切り払わなければならず、そのたびにコワルスキが罰当たりな言葉をわめき散らした。

水浸しになっているにもかかわらず、暗いジャングルは生き物で満ちあふれていた。ニシキヘビが長い体を物憂げに車の進路から移動させる。水面に顔をのぞかせた苔《こけ》だらけの地面からイバラの茂みに飛び移ったウサギたちが、クモの子を散らすように逃げていく。数え切れないほどのサルたちが一行に向かって甲高い鳴き声をあげる。グレイは水を跳ね飛ばしながらヘッドライトを横切る縞模様の珍獣オカピの姿も目にした。

新たな動物を発見するたびに、ベンジーの方を見る。

そのたびに若者は肩をすくめた。

ある程度の距離を置いたところからは動物たちに変異が見られるのかどうかはわからない。それでも、グレイはベンジーの警告を忘れていなかった。その源に接近するにつれて、危険はますます大きくなる。

コワルスキもコンゴの真っ暗な中心部に向かって進み続けることがうれしくなさそうだった。「坊や、その死んだ王の村まであとどのくらいだ？」

ファラジはサイドウインドーに、続いてフロントガラスに鼻先を押しつけた。「何だか変だ。ボンデ……盆地に着いていていい頃。でも、ここは違う」

厚い雲の下に稲光が走った。雷鳴がとどろき、ATVのガラスを震わせる。あたかもそれが合図になったかのように、空気中に漂っていた濃い霧が土砂降りに一変した。雨粒の叩きつける真っ黒な水面に無数の波紋ができる。

ベンジーがグレイを肘で小突き、窓の外を指差した。「見て」

グレイはそちら側に体を寄せ、外の様子に目を凝らした。見えるのは雨の吹きつけるジャングルだけだ。襲いかかる嵐にジャングル全体が震えている。「どうした？」

ベンジーが車内を探し、懐中電灯を手に取った。スイッチを入れると、まぶしさに全員の目がくらむ。ベンジーは体をひねり、光をサイドウインドーの外に向けた。雨で揺れる水面を照らしながら、ATVのやや後方に光を当てる。懐中電灯が照らし出したのは草に覆われた筏《いかだ》で、何かに引っかかっているのだろうか、車の通過で波が起きてもまったく動かない。

「少し前にも別のやつのそばを通った」ベンジーが言った。「その時は特に気にしなかったけれど」

「あれは何だ？」

ベンジーは懐中電灯の光を動かさずにグレイの方を見た。「藁葺《わらぶ》き屋根だと思う」

グレイは理解し、コワルスキの肩をつかんだ。「車を停めろ」

コワルスキはブレーキを踏んでタイヤの回転を止めたが、エンジンは切らなかった。大男が後ろを振り返る。「何でだよ？」

「ファラジの違和感は正しかった。俺たちはもう着いていたんだ」グレイは自分の懐中電灯を取り出し、ＡＴＶの反対側の外に光線を向けた。雨が激しく打ちつける水面から、ほかにもいくつもの藁葺き屋根が顔をのぞかせている。「あれは家の屋根だ。俺たちは王の村にいるんだよ。ただし、村は完全に水没してしまっている」

そう思って目を凝らすと、水面から突き出た梁《はり》や柱も確認できる。それもまた、かつてこの場所に大きな村が存在していたという証拠だ。

コワルスキがうめいた。「ここに隠された手がかりなんて見つけられっこないぞ」

「スキューバダイビングの装備でもない限りは」ベンジーが付け加えた。

その事実を認識し、グレイは落胆した。王の墓がこの下のどこかにあるとしても、それを発見することは困難だし、しかもこの暗闇だ。たとえ見つけることができたとしても、そこから何らかの答えを発掘するのはまず不可能だろう。水が引くまで待たなければならない。

〈それには何カ月もかかる〉

グレイは藁にもすがる思いで助手席に座る人物を見た。「ファラジ、何かいい案はないか？」

少年はうつむいて首を横に振った。「サマハニ」つぶやき声が漏れる。「ごめんなさい」

「つまり、ここが終点ということか」コワルスキがどこかほっとした様子で結論を述べた。

午後十一時二十二分

十分後、グレイはコワルスキの言う通りかもしれないと案じていた。それでも、あきらめようとは思わない――少なくとも、今はまだあきらめたくない。あれだけの苦労を経てここまでやってきたのだから。

グレイはタブレット端末をつかみ、短時間だけＧＰＳに接続して現在地の座標を記録した。

画面に表示された地形図に現在地が赤い菱形となって現れる。

〈シェパード牧師の道筋をたどるもう一つの目印〉

グレイは写真が入ったスリーブケースを膝の上に置いた。何らかの答えを求めて、七枚の写真をすべて取り出す。三枚の写真がここまで導いてくれた。オカピの湖、伝道所の建物、そして今は水没してしまったこの村。その道のりはさらに三枚の写真を経て、最後の一枚に通じている。二本の石柱に挟まれた断崖面の亀裂は、ムフパ・ウファルメ――骨の王国への入口と思われる場所だ。

〈しかし、どうやってその場所まで行けばいいのか？〉
グレイはこの先の三つの手がかりを示す三枚の写真を眺めた。この村にあるはずの手がかりがないまま、先に進めるのだろうか？　グレイは次の写真を凝視した。ヤシの木の幹に刺さったダガーナイフが一本、写っているだけだ。ファラジにはすでにその写真を見せたが、何も手がかりは得られなかった。その写真にさらなる意味が込められているとすれば、その答えはこの水の下にある。それに続く二枚の白黒写真も、進むべき方向をはっきりと示してくれるようなものではなかった。一枚には背丈と同じくらいの高さがある二枚の石板の前に立つシェパード牧師が写っていて、互いに支え合うような形で斜めに置かれた石板の下では炎が燃えている。もう一枚は二本の流れの合流地点で水筒に水をくむ牧師の写真だ。写真の裏に描かれたスケッチもヒントを与えてくれなかった。一枚は羅針図だ。もう一枚は線で描かれた大勢の人々で、全員が自分の背丈よりも長い槍を手にしている。

グレイはスケッチに描かれた人々がピグミーを表しているのではないかと考えた。彼らは今もイトゥリ州のジャングルで暮らしている。ただし、その人口と彼らが所有している土地は、シェパード牧師の時代と比べるとほんのわずかにまで減ってしまっていた。だが、たとえグレイの予想が正しいとしても、それが何かの役に立つわけではなかった。この先の道筋への手がかりを提供してはくれない。

グレイは地形図が映るタブレット端末を手に取り、より広範囲を表示させた。ほかの二つの赤い菱形はオカピの湖と伝道所の位置を示している。三つの菱形はコンゴのこの一角をほぼ一直線に貫いていた。まるでシェパード牧師がジャングルを真っ直ぐに抜けていったかのようだ。

グレイは眉をひそめた。険しい地形を考慮すると、牧師がそのようなルートをたどったとは考えにくい。もっとも、シェパード牧師は手がかりを残し、帰還した後でクバ族に写真を託したのだ。牧師がこれらの場所を選んだのは自分が実際に歩いた道のりを示すためではなく、将来の人たちをよりわかりやすく導くためだったのではないだろうか？

グレイは目を閉じ、自分をその当時のシェパード牧師に当てはめて考えてみた。彼は優秀な地図製作者で、探検家でもあり、自らの名前を冠することになった湖も発見している。グレイたちは当初から、シェパード牧師がこれらの手がかりを残したのは、プレスター・ジョンの失われた骨の王国と関連のある危機が再びコンゴの地を脅かした場合に備えてのことだと考えていた。それが正しいとすれば、牧師はそのような緊急事態に見舞われた将来のハンターたちを右往左往させるような導き方はしなかったはずだ。

〈それはありえない〉

グレイは目を開いた。「彼は失われた王国につながる真っ直ぐな線を引いたはずだ」

ベンジーがその言葉を聞きつけた。「何の話をしているの？」

グレイは首を左右に振った。まだ確信が持てない。「ファラジ、ちょっとこっちに来てくれるかい？」

少年は座席の背もたれによじ登り、その拍子にコワルスキの後頭部を蹴飛ばしそうになった。大男は新しい葉巻に火をつけたところで、かすかに開いたサイドウインドーの隙間に向かってにおいの強い煙を吐き出している。エンジンがアイドリング状態のままなので、水面下の排気管から立ち昇るディーゼルのにおいも外から入り込んでいた。

ファラジが鼻先を手であおぎながらグレイの方にやってきた。車体前部の悪臭から逃れることができてほっとしている様子だ。その目は好奇心で輝いている。

グレイはよく見えるように地形図を傾けた。「シェパード牧師が初めて君の部族の人たちと出会った時の村の位置を教えてくれるかな？」

「うん。簡単だよ。村には僕の家がある。今の王様はシェパード牧師の時の王様と同じ村の人」

〈ということは、王が代替わりしても村の場所は変わっていない〉

シェパード牧師の手がかりが保管されていたクバ・ボックスはファラジの生まれ故郷の村に残されていた。つまり、その村がこの旅路の本当の出発点だということになる。

ファラジが体を近づけ、タブレット端末の画面をじっと見た。指先で何本かの川の流れをたどってから、地図上のある一点を指し示す。その声は自信たっぷりだった。「ここ。

僕が住んでいるのはここ」

　グレイはその場所に赤い菱形模様を表示させ、同時に安堵《あんど》のため息を漏らした。新たな目印はほかの三つと一直線になっている。グレイは四つの記号を青い線でつないだ。

　ベンジーもそのことに気づいた。「一本の真っ直ぐな線でつながっている」

〈これが本当に直線ならば………〉

　グレイはその先を点線で東に延ばした。最初の三つの手がかりをたどると標高が次第に低くなり、この水没した盆地にたどり着いた。その先に続く線が横切る地形は再び標高が高くなり、イトゥリの森の東端に位置する断崖の多い高地に達している。

　ベンジーが光る画面に顔を近づけた。「僕たちが行くのはそこなの？　その山の方に行くの？」

「そうであってほしいと思っている」

　ベンジーがため息をついて座席の背もたれに寄りかかった。「かなり地形が険しそうだね。地図を見ると神が怒りの鉄槌《てっつい》を叩きつけて粉々に砕いたみたいな感じだ。あなたの考えが正しいとしても、そのあたりを捜索するには少なくとも数カ月はかかる」

「かからないかもしれない」

　グレイはバックパックに手を入れ、衛星電話を取り出した。バッテリーを入れ直す。この旅路を開始する前にバッテリーを外しておいたのは、何者かに衛星電話で動きをたどられるおそれがあったためだ。国連のキャンプが襲われ、キサンガニ大学も攻撃を受けたのは、敵が多くの情報源を持っているという証拠だ。そうした襲撃を実行するからには、その人物はこの地域一帯に大きな影響力を持っているに違いない。

コワルスキがグレイの行動に気づき、大量の煙を吐き出した。「何を企んでいるんだ、ピアース？」

「過ちを犯そうとしているのかもな」

連絡を入れることは危険な賭けだが、必要な賭けでもある。そう思いつつも、グレイは短時間ですませるつもりでいた。衛星電話は通信を暗号化できるため、他人が内容を聞き取ることはできないが、信号を検知することならば可能だ。少し間を置いてこれが本当に賢明なやり方なのかどうかを考慮した後、グレイはシグマの司令部につながるコードを入力した。

回線がすぐにつながった。「ピアース隊長だな」ペインターの素っ気ない声が聞こえた。

「状況は？」

グレイは通話時間をできるだけ短くしようと、自分たちの状況を早口で報告した。

ペインターの方からも最新情報の説明があった。「キサンガニの状況は時間を追うごとに悪化している。リサからの報告では、現在の患者数は数百名。多くはすでに死亡した。市内にはさらに多くの患者が流れ込んでいる。パニックが発生し、略奪や混乱も起きている。周辺の村々が野生動物に襲われているという複数の報告も入っている――ただし、そちらの詳細は不明だ」

グレイはベンジーの方を見た。「ただの野生動物ではない可能性があります」グレイはウイルスがコンゴ民主共和国にもたらしているかもしれない別の懸念を伝えた。「ウイルス学者のドクター・ウィテカーと相談できれば……」

「それに関してはすぐに可能になるとは期待できない。タッカーからはいまだに連絡がない。だからジャングルで何らかの答えが見つかるのならば、できるだけ早期にその入手が求められる」

「あえて今、連絡を入れた理由はそこにあります。助けが必要なんです」グレイは自分たちが抱えているジレンマと、シェパード牧師の残りの手がかりを飛ばして一気に終着点までたどり着きたいという希望を伝えた。菱形の記号が入った地形図の画像と、牧師の最後の写真を転送する。「その崖です。空を背景にした切り立った断崖面。今までは可能性のある場所がコンゴ全域に及んでいたので、その一枚だけでは不十分でした。でも、我々の捜索を絞り込み、その範囲を――」

「君が山々の間に引いた線の周辺に狭めるわけだな」ペインターが即座に理解してその先を引き継いだ。

「その通りです。衛星からの画像があればその断崖を特定できるか、少なくともある程度の範囲を除外できるのではないかと」

「やってみよう。作業はキャットに担当してもらう。しかし、そこまで細かい調査を行なうには数時間はかかりそうだ」

「承知しました。それまでの間、我々は送信したルートに沿って進みます。これから再び連絡を絶ちますが、どこかの時点でまた報告を入れます」

「了解した」

グレイは通話を終え、電話を切った。すぐにバッテリーを外し、本体とともにバックパックにしまう。

コワルスキが振り返って顔をしかめた。「つまり、ここからは当てずっぽうに走るわけだな」

「ここでじっとしているよりはましだ」

コワルスキは前に向き直り、アクセルを踏み込んだ。「さあ、そいつはどうかな」

午後十一時三十六分

後部座席で画面上に表示された地形図をじっと見つめながら、ベンジーは自分の耳たぶを引っ張っていた。膝の上に載せたタブレット端末に覆いかぶさるような姿勢になり、地図を拡大させたり縮小させたりを繰り返している。画面を操作していない方の手で耳たぶをつまみ、ぐいっと引っ張り続ける。地図に全神経を集中させていたため、自分がしていることに気づくまでに数分間もかかった。ベンジーは強く意識しながら手を耳から離した。

ずっと引っ張っていたせいで耳たぶが痛い。

〈これをするのは大学時代以来だ〉

ベンジーは唇をなめ、この何度も繰り返すチック——耳たぶを引っ張る癖が自閉スペクトラム症による行為なのを受け入れた。ストレスが引き金になったのだろう。それと、地図に集中していたせいだ。大学時代には勉強に集中するあまり耳を傷つけてしまうこともしばしばで、特に難しい試験が間近に迫った時にはそれが多かった。

ベンジーは窓の外を過ぎゆく湿地帯を眺めた。

〈これも間違いなく難しい試験の一つだ〉

ベンジーはバッテリーを無駄に消費してしまうことを恐れ、タブレット端末のスイッチを切った。頑張ってはみたものの、新たな見解を得ることはできなかった。もっとも、問題をじっくり考えるための時間はたっぷりある。高地まで到着するためには夜通し車を走らせる必要がありそうだった。

ベンジーは眠らなければいけないと思い、背もたれに体を預けたが、どう考えても眠れそうになかった。車のエンジン音と叩きつける雨音に耳を傾ける。遠くで雷鳴がとどろいた。巨大なタイヤで水上を進むＡＴＶの動きに合わせて体が揺れる。

〈この湿地帯を抜けるまでにあとどのくらいかかるんだろう？〉

さっきまで見ていた地形図によると、この先は標高が高くなっている。もうすぐ乾いた地面を走行することになるだろう。その予想を裏付けるかのように、水面に突き出た岩が目に留まった。さっきまでは見かけることのなかった光景だ。花崗《かこう》岩の塊は水深が浅くなりつつあるという期待を与えてくれる。ベンジーは不安から気を紛らすため、周囲に見える岩の数を数え始めた。

〈左側に十四個、右側にはおそらくさらに八個ほど〉

ベンジーはほかにも岩がないか探し続けた――その時、そのうちの一つが動いたかと思うとどんどん高くなり、いらだちを示すかのように上下に動く二つの耳が現れた。

あれは岩ではない。

ベンジーは背筋を伸ばした。「危ない！　気をつけないとまずい！」

グレイは前に身を乗り出し、相棒と話をしているところだった。おそらくこの先の作戦を立てていたのだろう。「どうかしたのか？」

「僕たちは縄張りに侵入している」

コワルスキが顔をしかめた。「何の話だ？」

「カバの群れがいるんだよ」ベンジーは前を指差した。「あの灰色の出っ張りがそうだ。たぶん水中にはもっと多くのカバがいる」

その言葉が聞こえたかのように、ほかにいくつもの背中が水面に浮かび上がった。水中から噴き上がるしぶきは浮上中のカバが吐き出している空気だ。

〈あんなにもたくさんの数が……〉

「回り込むことはできるか？」グレイが訊ねた。

コワルスキがハンドルを切った。「やってはみるけれど、この乗り物はモーターボートとは違うからな」

ATVがゆっくりとした速度で曲がり始めた。どこを見てもカバが水面に顔を出している。群れも大きな車の存在に気づいたらしく、滑るように近づいてくる。再び潜った個体もいて、水中をより高速で移動して侵入者に接近しようとしているのだろう。陸上にいる時のカバは鈍重に見えるかもしれないが、水中での彼らは敏捷《びんしょう》なハンターだ。

グレイがベンジーの方を見た。「ジャッカルと同じようにカバも変異している可能性は？」

「それはないと思う。遺伝子の変異は親が感染した後の子宮内で起きているはず。つまり、産まれてから性的に成熟するまでの期間が必要になる」ベンジーは首を横に振った。「カバの妊娠期間は八カ月以上。それに子供が成熟するのは遅い」

「つまり、変異したカバが大きく成長するまでには時間がかかるということだな」

ベンジーはうなずいた。「ウイルスの拡散が始まってからそれだけの時間はたっていない。ここのカバがすでに変異しているとは考えられない」

グレイが後ろを振り返った。「しかし、さっきのジャッカルの変化はどうなんだ？」

ベンジーは恐怖を抑えつけ、パニックに陥るまいとして自分の知識に意識を集中させた。「ジャッカルの妊娠期間はたった二カ月。産まれて八カ月もすれば立派な大人になる。それに加えて、ジャッカルは縄張りが広い。普通はコンゴの草原やサバンナに生息している。でも、必ずしもそうとは限らない。僕たちが遭遇した群れはウイルスの発生源の近くから移動してきたのかもしれないし、そこではずっと前からウイルスが暗躍していた可能性もある。でも、カバが自分たちの縄張りを離れることはない」

グレイは理解してくれたようだ。「だから、ここのカバが異常を来していることはありえないわけだな」

「でも、すでに感染している可能性はある。そうだとしたらかなり攻撃的になっているかもしれない。普段は臆病なヒヒたちが狂暴になったみたいに。でも、カバの場合はもともと好戦的な方だから」

「やれやれ」コワルスキがつぶやいた。「つまり、超攻撃的なカバということだな。だったらさっさと――」

フロントガラスに大量の水が降り注いだ。巨大なカバが水面から頭を出して口を大きく開いていて、長さ六十センチはあろうかという牙と喉の奥まではっきりと見える。カバはフロントガラスに噛みつき、牙を貫通させた。ガラス一面に細かい亀裂が入る。ＡＴＶの車体が衝撃で大きく後方に揺れる。カバは再び水中に沈みながらフロントガラスをすべてもぎ取っていった。

ベンジーは周囲を見回した。

あらゆる方角からカバたちが迫っていて、侵入者に挑もうとしている。

コワルスキが必死に武器を構えようとしていた。「さあ、覚悟しろよ！　これからワニワニパニックよりも難しいカバカバパニックの始まりだ！」

グレイがファラジを助手席から引っ張り上げ、ベンジーに託した。「二人は荷物スペースの方に行け」

そこの方が安全なのかどうかわからなかったが、ベンジーは言われた通りにした。

グレイが両側のサイドウインドーを少しだけ下げた。カバが入り込めるような幅はないが、外に向かって銃を撃つには十分な隙間だ。グレイは銃身の長い拳銃を両手でしっかりと握り、左右に目を配っている。灰色の塊が近づきすぎたらそれを目がけて発砲し、一頭、また一頭と追い払う。狭い車内に発砲音が響きわたり、耳鳴りで何も聞こえなくなる。

攻撃を受けたカバたちが水に潜るが、ひるんでいる様子はうかがえない。

前に目を移すと、コワルスキが片手でハンドルをつかんで運転を続けながら、もう片方の手に握った不思議な形の銃口の武器を前方に向けていた。オートマチックモードで発砲しているので、回転を続ける電動のこぎりのような音が鳴り続けている。ヘッドライトの中を銀色のきらめきがよぎる。鋭い円盤状の物体が水面から突き出た背中に刺さり、耳を切り裂いた。

ところが、そうした攻撃もカバの群れの怒りをあおっただけで終わったようだ。

右側の水面から新たに大きなカバが出現し、ベンジーは息をのんだ。カバが巨大なタイヤの一つに嚙みつく。そちら側を水中に引きずり込もうとするので、ATVが傾いた。ベンジーとファラジの体が車内を転がる。次の瞬間、ゴムが裂けて牙が外れたため、タイヤを持っていかれずにすんだ。

車体が再び水平になる。

破れたタイヤが回転を続け、水面を泡立たせる。その唯一の利点は、タイヤが裂けたおかげで水中でのそちら側の牽引《けんいん》力が大きくなったことだ。その差のせいでATVがひとりでに回転を始めた。

コワルスキがハンドルと格闘しながら進路を元に戻そうとした――しかし、間に合わなかった。

別のカバが車体に激突し、ATVの回転がさらに速くなった。さらに別のカバが反対側にぶつかってきたおかげで、ようやく回転が止まる。グレイは銃を乱射し、それ以上の攻撃を阻止しようとしている。だが、銃声はカバたちを引き寄せているだけのようだ。

車内を転がるばかりだったベンジーはピンボールマシンの玉になったような気分だった。頭はがんがんするし、体もあちこちをぶつけている。それでもベンジーはグレイの方に這《は》っていった。

「撃つのをやめて！」ベンジーはわめいた。

グレイは銃口をカバたちに向けたままだ。「何だって？　どうして？」

ベンジーは左側の後輪を指差した。「カバにあっちのタイヤも食い破ってもらうんだ」

グレイの顔には困惑の表情が浮かんでいる。「反対側の破れたタイヤとバランスを合わせるため。そうすればもっとスピードが出て、真っ直ぐ進めるかもしれない」

グレイは一瞬だけ考えを巡らせた後、カニのように横歩きしながらリアゲートに向かった。「場所を開けてくれ」グレイが指示を出す。

ベンジーとファラジは邪魔にならないように移動した。

グレイが肩でリアゲートを押し開け、その隙間から体を外に突き出した。手すりにつかまって身を乗り出し、大きなタイヤの後方に銃口を向ける。グレイは巨大なオスのカバに向かって乱射した。ほかのカバよりもはるかに体が大きい。おそらくこの群れのボスだろう。カバは攻撃をかわすかのように水中に潜った。

グレイがいらだちもあらわに眉をひそめる。

次の瞬間、大量の水が噴き上げ、その中から優に一メートル以上はあろうかという口を大きく開いたオスの顔が現れた。ＡＴＶの側面に体当たりし、タイヤと車体の一部にかじりつく。グレイの体が開いたリアゲートの外に飛ばされた。オスの体が水しぶきとともに沼に戻り、車ごと水中に引きずり込もうとする。水が車内に流入した。

ベンジーは流れ込む水に逆らってリアゲートに向かった。

グレイが水を吐き出しながら水面に浮かび上がる。

「こっちだ！」ベンジーは腕を差し出しながらわめいた。

グレイが足で水を力強く蹴った。片手を前に伸ばし、ベンジーの前腕部を握る。ベンジーは相手の手首をつかみ、後方に体を倒しながら自分の体重を利用して引っ張った。

だが、傾いた車へと引き上げるのには足りない。

懸命に水を蹴り続けるグレイの向こうに別のカバが姿を現した。グレイに接近するその泳ぎは信じられないような速さだ。迫るカバの前方に大きな波が立つ。ベンジーは絶対に離すまいとして必死に握り締めた。

その時、二本の腕が後ろからしがみついた。

ファラジだ。少年も力を貸して一緒に引っ張る。

そのおかげでグレイをＡＴＶの車内に引き上げることができた。後方から迫っていたカバが車体の後部に激突し、そのはずみでリアゲートが閉じる。もう一頭のカバがようやくタイヤを食い破り、ＡＴＶが解放された。車体が水平に戻り、全員が入り込んだ水と一緒に前方に投げ出された。

ベンジーが上半身を起こすと、カバの攻撃を受けたタイヤは回転を続けていて、破れたゴムが勢いよく水面を叩いていた。一本の破れたタイヤによって推進力が増したおかげで、湿地帯を横断するＡＴＶの速度が上がった。

グレイはベンジーに向かってうなずいた。「いい考えだ」

前に移動するグレイを見ながら、ベンジーは称賛を素直に受け止めた。グレイはまだ拳銃を握っているが、水没したので使い物にならないだろう。

運転席ではコワルスキが激しい雨の打ちつける沼地をにらみつけている。

ほかにも何頭かのカバの背中が見えるが、水面を叩く破れたタイヤのせいか、それとも車の速度が上がって群れから離れつつあるせいか、襲ってこない。群れはしばらくゆっくりと後を追いながら侵入者が戻ってこないように警戒していたが、やがてその姿も暗がりに消えて見えなくなった。

ベンジーは全身びしょ濡れで、数センチの水がたまった中に座っていた。

それでも、言葉にできないほど安堵していた。

ＡＴＶは水面に波を立てながら湿地帯の横断を続けた。その後はカバに邪魔されることもなかった。ようやくタイヤがぬかるみをとらえる。ＡＴＶは沼から陸地に上がり、アシの茂みを押しつぶしながら進んだ。無傷のタイヤ二本と破れたタイヤ二本でどうにか走り続ける。

グレイがコワルスキに車を停めるように指示したのは、湿地帯から十分な距離を取ってからだった。グレイが全員に伝えた。

「タイヤを取り換える必要がある。スペアタイヤが二本、空気を抜いた状態で荷物用スペースの下に入っている。電動式の空気入れもある。ただし、この先はスペアがないということを忘れるな。以上だ」

「だったら道路に釘《くぎ》が落ちていないか、注意しないといけないいな」コワルスキが不機嫌そうに返した。

グレイはその反応を無視した。「あと、今のうちにガソリンも満タンにしておく。まだまだ先は長いからな」

ベンジーは地形図に描かれた青い線を思い浮かべた。雷鳴のとどろく雲から激しい雨が降り注ぐ中、真っ暗なジャングルを見つめる。

〈でも、その先には何があるんだろう？〉

21

四月二十四日　中央アフリカ時間午後十一時三十七分
コンゴ民主共和国　カトワ鉱山

タッカーは動かなくなった兵士のそばで体を起こした。ケブラーのベストの重さが左右の肩にしっくりくるよう位置を調節してから、鉱夫用のヘルメットを戦闘用のものと取り換える。そうした装備を身に着けるのは久し振りのことだ。砂嵐の吹きつける通りと崩れかけた石壁の映像がフラッシュバックする。

タッカーは首を左右に振り、記憶を振り払った。

〈今はやめてくれ〉

フランクがそんな一瞬の変化を察したかのように、タッカーのことを見つめている。友人も同じような装備を着用し、もう一人の死体をコンクリート製の掩蔽壕《えんぺいごう》の奥に引きずっているところだ。「大丈夫か？」

タッカーは相手に向かって親指を立てた。この新しい装備には嫌悪感を覚えるが、身を守るという意味と鉱山のほかの戦闘員に紛れ込みやすいという意味ではありがたい。それでも、タッカーは半裸の状態でいるかのような気がした。ケインがそばにいないと、あるいはケインからの視線を共有できていないと、無防備で無力に感じられる。

ゴーグルの片隅には通信状態が思わしくない中、時折ケインのカメラからの映像の断片が表示される。だが、このあたりに発せられている妨害電波のせいで相棒とのいつものつながりは断ち切られていた。

「先に進もう」タッカーは死んだ兵士から奪ったＰａｒａＦＡＬを握りながら言った。ライフルは五十発を装塡《そうてん》した弾倉付きで、先端部分にはスチール製の銃剣も備わっている。

フランクももう一人の死体を隠し終え、同じ武器を肩に担いだ。

二人は掩蔽壕の扉に歩み寄った。外では空との戦いが継続中だ。悲鳴やわめき声が掩蔽壕の中にまで響いてくる。あちこちで銃声がとどろき、火炎放射器がうなりをあげている。

三十分前のこと、コウモリの大群が町に降下し、視界に入るものすべてに対して襲いかかった。タッカーとフランクは労働者用の粗末な小屋の中に逃げ込んだ。幸いにも、空からの攻撃は銃声と炎がコウモリたちを引きつけた軽量コンクリートブロック製の建物付近に集中していた。

身を隠した小屋の中から、タッカーは監視塔がコウモリの攻撃で陥落する様子を目の当たりにした。機関銃を操作していた兵士が塔の上から落下し、黒い塊にたかられて空中で苦しそうに身をよじる。その隙に、二人は波形模様の鋼板を抱えて頭を守りつつ、隠れていた小屋から走り出た。鋼板には古い木の板が釘で打ちつけてあった。

二人は壁までたどり着くと鋼板を立てかけ、木の板を足場にしてよじ登った。壁の上に張り巡らした有刺鉄線を乗り越える時には二人とも深い切り傷を負ったが、どうにか防御のかたい施設内に忍び込めた。全員の目は空と地上での戦闘に向けられていたので、二人はいちばん手近な隠れ場所――バリケードのすぐそばに築かれていたコンクリート製の掩蔽壕に逃げ込むことができた。その中に隠れていた二人の兵士は二発の銃弾で始末した。

作戦を続行しようと、フランクが扉の取っ手をつかんだ。「準備はいいか?」

「よくないが、だからといってやめるわけにもいかない」

フランクが扉を押し開け、タッカーは低い姿勢で外に飛び出した。誰一人として二人に注意を向けなかった。ほかに何十人といる防弾着にヘルメット姿の兵士たちと見た目は何ら変わりがない。周囲ではライフルの発砲音がひっきりなしに鳴り響いている。火炎放射器を手にして片膝を突き、空に向かって炎を噴射している兵士の傍らを、タッカーは走り抜けた。

あちこちに人が倒れていて、まだコウモリが群がっている兵士もいれば、すでに毒が回ったのか苦しそうに手足を震わせている兵士もいる。

火のついたコウモリが一匹、タッカーの目の前に落下した。地面に叩きつけられた体からは煙が噴き上げ、胸のあたりにはかすかな光が輝いている。発光性の藻類が付着しているかのようだ——ウイルスが引き金となった共生関係によって実際に獲得したものなのかもしれない。

タッカーはコウモリの死体を飛び越えた。その謎を解明するのは後回しだ。

フランクが息をのむ音で、タッカーは仲間の方に注意を向けた。黒い影が一つ、ヘルメットの上ではばたいていて、その下の肉を狙っている。タッカーは銃剣でコウモリを突き刺して放り投げた。

二人は言葉を発することなく二棟の低い建物の間の路地に駆け込んだ。タッカーはゴーグルの双眼鏡機能を使ってすでに目的地を特定していた。鉱山の業務を担う一角の中心に四階建ての細長い建物があり、屋根にはアンテナやパラボラアンテナが林立しているほか、妨害電波用のプレートを環状に取り付けたひときわ高いポールがそびえている。あそこが鉱山の通信機能の中心に違いない。

路地の出口に近づくと強い風が吹きつけ、二人を押し戻そうとした。風の発生源は見覚えのある機体で、ずっとタッカーたちに付きまとっていた攻撃ヘリコプターだ。戦闘服姿の男たちが機体の後部に荷物を積み込んでいる。客室に乗り込む男たちの姿もあった。

フランクがタッカーの耳に顔を近づけた。「あいつら、ここから退避しようとしているぞ」

タッカーはうなずきながら、それも無理はないと思った。今もなお、コウモリたちが脱出を試みる敵に向かって急降下している。広場には死体が点々と転がっていた。近くに兵士が一人、倒れている。血まみれの顔面はどす黒い塊と化していた。何よりも不気味なのは、無傷の目がじっと上を見つめていることだ。

タッカーは低い姿勢を取った。駐機したヘリコプターのローターが巻き起こす強風のおかげで、フランクとタッカーは一時的ではあるがコウモリの攻撃から守られている。フランクが広場の外れにある通信施設の建物を指差した。入口の扉は開いていて、多くの人が行き来しているが、それは二人にとって好都合かもしれなかった。

タッカーが先になり、ライフルを構えながら低い姿勢で走った。フランクもそのすぐあとに続く。二人は金属製のひさしの下に隠れながら広場を回り込んだ。空から落ちてくるコウモリは、ヘリコプターのローターの強風で吹き飛ばされたのか、それとも自らの意思で降下しているのか。コウモリの攻撃でガラスが割れ、その破片がタッカーたちに降り注いだ。

タッカーは何かが肩にぶつかる衝撃を感じた。手に持ったライフルが飛ばされそうになるほどの強さだ。一匹のコウモリがしがみつき、ケブラーのショルダーパッドに嚙みついていた。タッカーは横に移動し、コウモリの体を近くの壁で押しつぶした。その行為に罪悪感を覚える。この小さな生き物は悪意を抱いているわけではなく、本能と激しい怒りに駆られているだけなのだ。

それでも、タッカーには守らなければならない人たちがいる。モンクと仲間たちだけではなく、コンゴ民主共和国内で脅威にさらされているすべての人たちを。

タッカーは広場の先に進み、建物の入口の扉までたどり着いた。背後からヘリコプターの轟音が聞こえる。ローターの巻き起こす風に押されながら、タッカーは建物内に入った。ほかの兵士たちを肩で押しのけながら進んでいくが、恐怖と混乱と早く脱出しようという焦りのせいで、誰も二人の侵入を気に留めなかった。

タッカーは走りながら廊下の左右に目を向け、無線室と思しき部屋を探した。それぞれのフロアをくまなく探すには時間がかかる。突然、フランクがタッカーの体をつかみ、たまたま扉が開いていた部屋に押し込んだ。

タッカーは友人に向かって顔をしかめた。

フランクが慎重に扉まで戻り、廊下の突き当たりにある階段を指差した。そこには二人が立っていて、興奮した様子で話をしている。フランクが背の高い方の男を指差した。顔つきは険しく、短く刈り込んだ髪には白いものが交じっている。背筋を伸ばして立つその姿からは威厳が感じられる。

「あれがドレイパー大尉だ」フランクがささやいた。

タッカーはド・コスタの右腕とも言うべき男の名前をすでに聞かされていた。あいつがここの業務を統括し、退避の指揮を執っているに違いない。ドレイパーが腕で出口を指し示し、スワヒリ語で何かを叫んだ後、相手に背を向けた。一段飛ばしで階段を上っていく。

「後を追うぞ」タッカーは部屋の外に出た。

急いで立ち去った大尉の様子から、タッカーは彼がどこかに報告を入れるつもりなのだろうと察した。そうではなかったとしても、待ち伏せして無線室の場所を無理やり聞き出せばいい話だ。

タッカーは階段まで急ぎ、十分に距離を置きながら上の階に向かった。後をつけている相手に怪しまれたくはない。ドレイパーが最上階まで階段を上ったことから、ボスに報告を入れようとしているのではないかという予想が確信に変わる。無線室があるとすればアンテナに覆われた屋根のすぐ下に位置していると考えるのが自然だ。

四階に到達したタッカーはより注意深く行動した。ほかには誰もいないようだ。だが、右側にある両開きの扉の奥から話し声が聞こえる。タッカーとフランクは聞き耳を立てながらじりじりと前に進んだ。廊下を挟んでその向かい側にある暗いオフィスに忍び込む。そこからは該当の部屋の様子を一部だけだがうかがうことができる。

ドレイパーが衛星通信用の設備やモニターが並ぶ前に立っていた。前かがみの姿勢になり、無線技士のコンゴ人兵士に向かって怒鳴り声で命令を発している。今度はフランス語だ。タッカーはフランス語をかじったことがあるが、早口の会話を理解できるほどの知識はない。

フランス語に堪能《たんのう》なはずのフランクが大きく目を見開いた。

フランクの方を見る。

タッカーは友人に体を近づけた。「どうかしたのか?」

午後十一時四十二分

フランクは手のひらを向けて待つように合図した。

〈ちゃんと聞く必要がある。聞き間違いではないと確かめなければ〉

ドレイパーが無線技士に体を近づけ、USBメモリを手渡した。「ド・コスタとつないでくれ。この一帯が煙を噴き上げる大きな穴と化すまでの残り時間は十八分しかない」

「承知しました」

フランクは腕時計を確認した。

〈予定時刻は午前零時ちょうど〉

無線技士が機器にUSBメモリを挿し込み、キーボードを操作した。その直後、室内のモニターに映像が表示され、机の奥に座るノラン・ド・コスタの姿が映し出された。CEOは背広を脱ぎ、シャツの袖をまくっている。「ドレイパー大尉、まだ鉱山にいるのか？何をしている？」

「襲撃は私が予期していたよりもはるかにひどいものでした。必要なものをすべて確保してヘリに積み込み、部下を呼び戻すまでに時間がかかってしまったのです。部隊の五分の一の人間をすでに失いました」

「もっと時間が必要なのか？」

「いいえ。荷物の運び出しはすべて完了しました。二分後には離陸します」

「問題があるならMOABのタイマーのリセットが可能だ。必要ならば爆発を遅らせることができる」

フランクはMOABという単語を聞き、顔をしかめた。〈ありえない……〉その一方で、さっきのドレイパーの発言を思い返す。この場所が「煙を噴き上げる大きな穴と化す」と言っていた。午前零時に爆発予定の爆弾が本当にMOABだとすれば、爆発で生じる穴は鉱山全体だけでなく、周辺のジャングルまでのみ込むことになるだろう。

ドレイパーが首を横に振った。「問題はありません。対応済みです。それにこの場所が地球上から消滅するのは早ければ早いほどいいでしょうから」

「なるほど」

ドレイパーがモニターから後ずさりした。「私もこれからここを離れます」

「よろしい。事態が深刻化していることを考えると、島も片付けてしまうのが最善の策だと思う。私もこれから退避の準備を開始する。研究チームにすべてのデータの照合と収集を指示する。夜明けまでには準備ができるだろう。残りは数発のヘルファイアミサイルが後始末をしてくれる。そうだな？」

フランクは病棟内の患者たちの姿を思い浮かべ、拳を握り締めた。

「はい《ウィ》、指揮官」

「それならばそこを離れるように」

通信が終了し、ドレイパーがモニターから顔を話した。無線機から引き抜いたUSBドライブを無線技士の鼻先に向ける。「私の部下に最後の撤収指示を出してから、おまえも急いでヘリまで来い」

ドレイパーが勢いよく部屋から出てきて階段に向かったので、フランクはタッカーを部屋の奥に押し戻した。敵の姿が見えなくなり、靴音が聞こえなくなるまで待つ。タッカーに事情を説明している暇はない。

フランクは急いで廊下を横切り、向かい側の無線室に飛び込んだ。突然の侵入者に驚き、無線技士がびくっと体を震わせる。フランクは銃剣の先端を相手の喉に突きつけた。

「英語を話せるか？」

無線技士はうなずこうとして喉を少し切ってしまった。「ああ……話せる」

「だったら手を貸してもらうぞ」フランクはタッカーの方を向き、さっきの会話の内容をかいつまんで伝えた。「あいつらは鉱山のどこかにMOABを埋めている。爆発予定時刻まで――」フランクは腕時計を見た。「残り十五分だ。それまでに少なくともここから一・五キロは離れる必要がある」

タッカーが無線技士を指差した。「爆発を止めろ」

相手は言葉に詰まりながら答えた。「で……できない。ここからは制御できない」

「操作できるのはド・コスタだけだ」フランクは説明した。

「モンクやほかの人たちはどうするんだ？　まだジャングルにいて、爆発に巻き込まれてしまうぞ」

フランクは銃剣で無線技士をつついた。「妨害電波を切れ。それならここからでもできるだろう」

男はごくりと唾《つば》を飲み込み、ほんのかすかにうなずいた。汗が顔面を滴り落ちている。フランクのライフルだけではなく、カウントダウンを続けるタイマーも脅威だということを理解しているはずだ。自分もここから脱出しなければならないのだから。

無線技士は機器に向き直り、モニターに表示されたウィンドウを次々と切り替えた。最後にキーボードを一押しすると、画面上の大きな赤いボタンが緑色に変わった。「解除した」

フランクはタッカーに確認を求めた。

タッカーが後ずさりし、ゴーグルの位置を微調整した。やや上向きの視線はどこか遠くを見つめているかのようだ。ケインのカメラを通して見えた映像にショックを受けたようで、口が半開きになった。ほかの人たちに無線で伝えた言葉からも驚きがはっきり伝わった。

「モンク、町の中でいったい何をしているんだ？」

午後十一時四十五分

モンクはタッカーの声から狼狽《ろうばい》を感じ取った。

その理由は理解できる。

モンクがいるのは遺棄された小屋の中の薄汚れた窓の近くだ。すぐそばにはシャルロットもいて、ケインの頭に片手を置いていた。ジェムソンは添え木を当てた腕を抱え、窓から離れたところに座っている。小児科医は体を前後に揺すっていて、目は痛みと恐怖でうつろだ。

外の通りには四人の兵士の死体が転がっており、彼らの持っていた懐中電灯の光がその無残な姿を照らしていた。男たちは先ほどジャングルでモンクたちが遭遇しそうになった偵察兵だ。モンクは鉱山の人気のない一角を抜けて近づく男たちの様子をずっと目で追っていた。兵士たちはライフルに装着した懐中電灯で周囲を照らしながら町を移動していた。小屋の扉を蹴破っては、一軒ずつしらみつぶしに捜索していた。

そんな時、四人に向かって空から何かが落ちてきたのだ。雲の間から影の破片が降り注いできたかのように見えた。その正体がコウモリだとモンクが気づくまでに数呼吸の間があった。群れは偵察兵が持つ懐中電灯の光に引き寄せられたらしい。あわてて乱射した銃声が事態をさらに悪化させた。コウモリには兵士たちを邪魔するくらいしか期待できなかったが、それでもモンクは群れの飛来を幸運の印と受け取った。兵士たちをこの一帯から追い払ってくれればありがたいと思った。

ところが、やがて悲鳴が聞こえ始めた。

窓の前を走り抜けた兵士の頬には一匹のコウモリがしがみついていた。手首にももう一匹。兵士はモンクたちが隠れていた小屋の扉からほんの数歩のところで倒れた。ばったりと倒れたまま、苦しそうに身をよじり、顔と喉をかきむしり続けた。ようやく動かなくなった時――かなりの時間が経過した後だったが、その時には首と顔の片側に水疱《すいほう》ができていて、かきむしったせいで傷だらけになっていた。

人の姿が消えた今、外の通りではコウモリたちが小屋の周囲に群がっている。ひさしにぶら下がったり、屋根の上を移動したり、壁をよじ登ったり。まだ宙を飛んでいるコウモリもいた。頭上からトタン屋根を爪で引っかく音が聞こえ、気が変になりそうだ。何よりも薄気味悪いのはコウモリたちが光を点滅させていることで、あたかも無言で互いに意思の疎通を図っているかのようだった。

「そのままじっとしていろ」タッカーが無線で伝えた。「俺たちが迎えにいく。この付近の妨害電波が止まったので、ケインの発信器を目印にできる。すぐに動けるようにしておいてくれ。十五分以内にここを離れなければならない」

周囲の状況を考えると迎えが来てくれるのはうれしかった一方で、モンクにはそこまでの緊急性が理解できなかった。「なぜ十五分なんだ？」

タッカーの答えを聞き、モンクの心臓の鼓動が速まった。「深夜零時にとてつもない爆弾が炸裂《さくれつ》する」

〈なるほどな。問題は有毒コウモリだけじゃなかったわけだ〉

しかし、タッカーの悪い知らせにはまだ続きがあった。「爆発の影響は爆心地から半径一・五キロに及ぶ」

モンクは首を左右に振った。「時間内にそこから逃れるのは無理だぞ」

「やってみなければならない」

モンクは小屋の外の群れに目を向けた。「どうやって？」

「とにかく、準備をしておいてくれ」

午後十一時四十七分

タッカーは狭い通信室内を歩き回りながらモンクとの通話を終えた。フランクの方を見る。「そっちはどうだ？」

フランクはまだライフルを手に無線技士を監視していた。もう片方の手にはタッカーの衛星電話を握り、ヘリコプターの近くで待機中のンダエに連絡をつけようとしているところだ。「雑音が聞こえるだけだ。まったくつながらない」

タッカーは無線技士をにらみつけた。この男を責めたいところだが、屋根の上の小さなタワーは鉱山一帯の無線通信を妨害しているだけなのだろう。ド・コスタはもっと長距離の通信を妨げる高度な遮断装置を各所に配備しているに違いない。

タッカーは機器が並んでいる方に歩み寄った。「さっきおまえはド・コスタと連絡を取ることができた。妨害電波が及ばない秘密のコードか何かを使った、そうだな？」

「ああ。でも、俺は持っていない。本当だ。ドレイパー大尉だけが携帯しているＵＳＢメモリに入っている」

兵士がこの男に手渡したＵＳＢメモリを思い出し、タッカーは顔をしかめた。窓の外に顔を向けるが、それを奪い取る時間はもうない。広場で待機中のヘリコプターの音がいちだんと大きくなり、今にも離陸しようとしている。

「これ以上は待てない」タッカーは決断した。

「どうするんだ？」フランクが訊ねた。

「ここから脱出する」

フランクが眉をひそめた。ンダエがヘリコプターで救出に駆けつけようにも間に合いっこないのは二人とも承知だ。ここまで来てもらったところで、ヘリコプターごと爆発に巻き込まれてしまうだけだろう。連絡を試みたのはノラン・ド・コスタの関与を世界に知らせるためで、シグマの司令部にあの男への注意を促すためだったのだ。だが、もはやそれもできなくなった。

〈つまり、俺たちだけで何とかしなければならない〉

タッカーは無線技士に向き直った。「さっきあたりを巡回するトラックを見かけた。車両はどこにある？　ガレージか？」

男は立ち上がり、窓の向こうに見える隣の建物を指差した。「あそこの地下だ」

「キーは？」

「車内に」

タッカーはフランクに合図を送り、無線技士を指差した。「こいつを撃ち殺せ。すぐに出るぞ」

男は左右の手のひらを見せ、機器の方に後ずさりした。

フランクが武器を構えた。「それとも、まだ死にたくないか？」

「何でもする。何が望みだ？　言ってくれ」

これはタッカーの考えていた計画通りだった。二人とも鉱山の労働者たちに逃げるチャンスすら与えることなく、この場を離れようとは思っていない。

フランクは銃剣で男の胸を小突いた。「少し前のサイレンだが、あれはロックダウンの合図だった、そうだな？」

無線技士が何度もうなずいた。

「退避を知らせるほかのサイレンもあるはずだ」フランクが言った。

「ああ、緊急事態が発生した場合に備えて」

「この状況はそれに該当するように思う」タッカーは通信機器を指差した。「すぐに鳴らせ。それとも死にたいか？」

無線技士は素早く機器の方を向き、スイッチを覆っていた保護ケースを取り外した。スイッチを入れるとすぐに真上で警報音が鳴り響き、外に広がりながらすべての音をかき消すような音量になる。

　タッカーとしてはなるべく大勢の労働者たちがコウモリの攻撃をかわし、ジャングルに逃げ込んでくれることを願うしかなかった。ここに残っていたら確実に死ぬことになる。室内の全員もそのことを承知していた。無線技士は恐怖のあまり目を見開いている――広場から離陸するヘリコプターを見て、その目がさらに大きくなった。離陸を急いだのは警報音のせいだろう。サイレンを聞いたドレイパーは何か異変が起きたと察知し、部隊に脱出を指示したに違いない。

　タッカーは無線技士をせせら笑った。「おまえの乗り物は出発してしまったぞ。どうやら俺たちは運命共同体のようだ」フランクを扉の方に押す。「行くぞ」

　二人は扉に向かって走り、無線室を飛び出した。

　自分の体内時計には自信を持っているタッカーだったが、念のためにダイバーズウォッチを確認した。〈残り十一分〉

「かなりきわどいところだな」フランクが歯を見せて笑いながら言った。「昔と変わりないじゃないか」

「ああ。過去のままだ。懐かしくはないけれどな」

　二人は階段を駆け下り、正面から外に飛び出した。広場に人は残っておらず、離陸したヘリコプターの巻き起こす強風が吹きつけている。コウモリの姿もほとんど消えていた。

攻撃ヘリコプターの後を追っているのかもしれない。

それでもタッカーは姿勢を落とし、皮膚が露出した部分をできるだけ防弾着で守ろうとした。隣を走るフランクが無線技士に教えられた建物を指差した。ガレージの扉は開いていて、傾斜路が地下に通じている。その先に車があることを願うばかりだ。

二人は扉に向かって急いだ――その時、耳をつんざくような高音に続いて爆発が発生し、二人とも前のめりに倒れた。タッカーはＭＯＡＢが予定よりも早く爆発したのかと思いつつ、後方に顔を向けた。ロケット弾が通信施設に命中していて、サイレンの音も鳴りやんでいた。煉瓦やガラスが粉々に砕け、噴き上がる煙と炎を抜けて広場に降り注ぐ。

爆発現場の上空ではヘリコプターが旋回しながら高度を上げた。

タッカーは遠ざかる機体をにらみつけた。〈ドレイパー大尉からの餞別《せんべつ》ということか〉ド・コスタの部下は突然のサイレンを不審に思い、何らかの問題が起きたと判断したに違いない。

二人は急いで立ち上がり、扉までの残りの距離を走った。

タッカーは地下に通じる暗がりに飛び込み、姿を隠せることにほっとしながら傾斜路を駆け下りた。斜面の終わりに近づいたところで速度を緩める。数個の裸電球がその先のガレージ内を照らしていた。わずかな明かりでは暗がりの奥まで十分に見通すことができない。ガレージは荒らされた後のようだった。十数台のトラックを収容できるだけの広さがあるにもかかわらず、ガレージの奥の電球の下に一台が残っているだけだ。古いランドローバーは乗り物というよりも錆《さび》の塊で、前のバンパーがなくなっている。

だが、えり好みをしている場合ではない。

タッカーがそちらに向かおうとした時、フランクが腕をつかんで制止した。友人は上を指差している。タッカーは上に何が見えるのか予想できたし、その不安は的中した。ガレージの天井では黒い影とはばたく翼がうごめいていた。無数のコウモリが天井を移動したりそこからぶら下がったりしていて、ガレージを洞窟代わりに使用している。暗がりの中で侵入者に向けて光の点滅と帯が繰り返し放たれる。

タッカーはフランクから聞いた推測を思い出した。発光はおそらく警告を表していて、ガラガラヘビがしっぽを振る行為の視覚版に当たるということだった。

「ゆっくりと移動しよう」フランクが小声でささやいた。「あのランドローバーのところまで行かないと」

友人の言う通りだ。群れに背を向けて逃げたいところだが、ここの危険はコウモリだけではなかった。

後方から叫び声が聞こえた。傾斜路の入口のあたりからだ。「あの車に乗り込むぞ！」

タッカーは床に片手をつき、さらに低い姿勢になった。聞き覚えのある無線技士の声に、せっかくの善意があだとなったことに気づく。

〈さっき撃ち殺しておけばよかった〉

しかも、無線技士には連れがいた。数人の武装した男たちが一緒だ。逃げる途中で仲間を集め、乗り物を確保することが爆発から逃れるための最も有効な方法だと伝えてここまで連れてきたのだろう。

男たちの一団が傾斜路を下りてくる。

タッカーは先に進むようフランクに合図してから、近づく男たちに向かって親指をはじいた。

〈十五秒だけ時間を稼がないと〉

すでに兵士たちはガレージ内に下りてきていた。タッカーの存在に気づき、ライフルを構えようとしている。機関銃の銃口を向ける兵士もいた。

相手の気を引こうと、タッカーは上を指差した。「撃つな」小声で伝える。

敵の視線が天井に向けられる。兵士たちは二度見をしたり、警戒してうずくまったりといった反応を見せた。全員が頭上の危険を熟知している。だが、彼らが警戒するべきなのは上ではなかった。小さな銀色の球体――タッカーがさっき兵士たちの方に指ではじいたものが、彼らの足もとに向かって床を転がっていく。

タッカーは頭の中で数え続けた。

〈……十二、十三、十四……〉

タッカーは兵士たちに背を向け、フランクを体ごと持ち上げんばかりの勢いで前に押した。「走れ！」

二人がランドローバーに向かって走り出すと同時に十五秒になった。

閃光発音筒が背後で炸裂し、背を向けていてもなお、目もくらむようなまばゆさが襲いかかった。頭が割れるかと思うほどの爆音も響く。それでも、タッカーは走り続けた。後方ではコウモリの群れが音の脅威に対して攻撃を開始し、兵士たちの悲鳴が響きわたる。

タッカーとフランクは車に体当たりした。フランクが扉を開け、助手席に移動する。タッカーもそれに続いて乗り込み、運転席に座った。イグニッションに挿し込まれているはずのキーを探す。

〈見当たらないぞ〉

フランクが手を伸ばし、タッカーの頭の上のバイザーを開いた。キーフォブが落ちてくる。タッカーは感謝の祈りを捧げながら手で受け止めた。キーを挿し込んでエンジンをかけようとするが、咳き込むような音を立てただけで止まってしまった。

ガレージのあちこちで銃声が鳴り響いている。銃弾が跳ね返り、暗闇で火花を散らす。男たちの悲鳴はやまない。傾斜路に逃れようとする者もいたが、コウモリの猛攻を浴びて倒れ込んだ。

タッカーはアクセルを踏んでキーを回し、ほんの少しの慈悲を求めた。その願いが届いたのか、なかなか言うことを聞かなかったランドローバーが再び咳き込み、今度はエンジンがうなりをあげる。タッカーはギアを切り替え、アクセルをいっぱいに踏み込んだ。外から見た限りでは錆だらけの車だが、古いディーゼルエンジンにはまだ十分な余力が残っていた。

ランドローバーは排気ガスを後方に噴き出しながら混乱の中を突っ切った。フロントグリルが障害物を跳ね飛ばす。床にあるものはタイヤが踏みつぶす。

人間も、コウモリも。

タッカーは傾斜路に突っ込み、高速で走り抜けて外に出ると、車体をスキッドさせながら広場を横切った。施設のゲートを目指す。退避のサイレンに従って人々が逃げた後なので、ゲートは開いたままだ。タッカーは速度を緩めなかった。片目は道路に注意を向け、もう片方の目はゴーグルの片隅で回転する小さなコンパスを注視する。そのコンパスがケインのいるところまで導いてくれる。

タッカーは相棒と再会できるまでの時間を計算した――その一方で、別のタイマーがカウントダウンを続けている。

〈残り八分〉

午後十一時五十二分

再びサイレンの音が静かになる中、シャルロットはコウモリの大群が落ち着きを取り戻し、警戒しながらも元の場所に戻るのを見つめていた。ヒッチコックの映画『鳥』で、鳥の大群が襲ってくるのを待つヒロインのティッピ・ヘドレンになったかのような気分だった。

〈とにかく落ち着いて〉シャルロットは自分とコウモリたちに言い聞かせた。

彼女が外を警戒している間に、男たちが一人で、あるいは数人のグループで、この一角をこっそりと通過していった。偵察の兵士ではなく、泥のこびりついた服を着た鉱夫たちだ。彼らは頭上に潜む生き物に気づかれないよう、無言のまま人気のない道を進んでいった。そして無事に通り過ぎるとジャングルを目指して走り出し、木々の間に姿を消した。

〈彼らも何が起ころうとしているのか知っている……〉

「もう時間がないぞ」隣でジェムソンがつぶやいた。「我々も彼らを追ってジャングルに逃げるべきだ」

シャルロットは何も言い返さなかった。モンクから危険についての説明があった。爆発の影響はかなり広い範囲にまで及び、半径一・五キロに達するという。走って逃げるのならばもうとっくにここを離れていなければ間に合わない。腕を骨折したジェムソンがいるからなおさらだ。

シャルロットたちの唯一の希望はタッカーとフランクに託されている。

〈そうだとしても、どうやったら時間内に影響が及ばないところまで行けるの?〉

「誰かが来る」モンクが小声で伝えた。

シャルロットは声の方に視線を向けた。モンクは小屋の入口のすぐ脇に立っていた。外の様子をうかがいながら轍《わだち》が刻まれた道を見張れる程度に、扉が少しだけ開いている。モンクがイヤホンを手のひらで押さえ、シャルロットとジェムソンに向かってうなずいた。「二人からだ。急いで向かっているとのことだ」

〈そうしてもらわないと〉

「扉のそばで待つように言っている。すぐ近くまで車を寄せるそうだ」

シャルロットは窓の外を探した。上下に揺れるヘッドライトの光が、粗末な小屋の立ち並ぶ町中をかなりのスピードで近づいてくる。車体が一軒の小屋に接触し、建物が崩れ落ちた。それほどまでに急いでいる理由は残された時間が少なくなりつつあるからだけではない。黒い塊が車に付きまとい、攻撃を仕掛けていた。エンジン音と激しく揺れるヘッドライトに刺激されたコウモリたちが、大挙してその後を追っているのだ。

外ではすぐ近くにいるコウモリたちがそわそわし始めた。攻撃中の仲間たちに加勢しようと、飛び立って音の方に向かう個体もいる。

モンクが懐中電灯を持ち上げてほんの一瞬だけ隙間から外に光を向け、自分たちの居場所を伝えた。すぐにシャルロットたちの方を見る。

「みんな、こっちに来てくれ」モンクが指示した。「車が停まったら急いで後部から乗り込むぞ」

シャルロットは恐怖を抑えつけながらうなずいた。ケインを押しながら扉に近づく。ジェムソンも添え木を当てた手をしっかりと押さえながらついてくる。

猛スピードで接近する乗り物の姿が扉の隙間から垣間見えた。完全に視界に入ってもなお、速度を落とそうとしない。車が小屋にぶつかって破壊したことを思い出し、シャルロットは扉から後ずさりした。だが、運転手はぎりぎりのところでハンドルを切り、リアゲートを扉の方に向けた位置で車を停めた。後部バンパーと扉の間の距離は一メートルもない。

「今だ」モンクがささやいた。

肩で扉を押し開けたモンクが真っ先に外に飛び出した。車に駆け寄ってテールゲートを引き上げると、古い蝶番《ちょうつがい》が耳障りな音を立てた。

シャルロットもすぐ後に続いたが、まわりはコウモリだらけだった。何かが頭にぶつかる。もがく鉤爪《かぎづめ》がポニーテールに結んだ髪に絡まる。誰かがコウモリをむしり取ってくれた。シャルロットはモンクが助けてくれたのだろうと思って振り返ったが、彼は片手しかない――その手はまだリアゲートを押さえている。

ジェムソンが痛めていない方の手でコウモリをつかんでいた。とっさに取った行動に自分でも驚いているような表情を浮かべている。そんな戸惑いの隙を突いてコウモリが攻撃に転じ、親指の腹に牙を突き刺した。ジェムソンはあっと声をあげて振り払おうとするが、牙が深く食い込んでいるので離れない。焦りの浮かんだその目からは、彼が感じている激しい痛みも伝わってくる。

シャルロットは助けようとしたが、ジェムソンに肩で押され、体がランドローバーの後部バンパーにぶつかった。

「いいから早く乗れ！」ジェムソンが叫んだ。彼女に対してよりも自分自身に腹を立てているような声だった。

シャルロットが反応できずにいると、二本の手が後ろから体をつかんだ。フランクがシャルロットを車の後部に引き上げた。

ジェムソンはコウモリを車体の側面に叩きつけ、ようやく取り除くことができた。表情を苦痛に歪めながらも、頭を目がけて飛来した別のコウモリも払いのける。そして小屋の方に向き直り、出血した手でモンクをつかむとシャルロットに続いて車の方に押した。

「さっさと行け、ぐずぐずするな！」

モンクの隣では背中にしがみついてベストを攻撃するコウモリにケインが苦戦してい

た。犬は首をねじり、コウモリに嚙みつこうとしている。ジェムソンはケインも助け、コウモリをつかんで引き離した。だが、その際に今度は手首を嚙まれてしまった。

　ジェムソンがふらふらと後ずさりした。痛みのせいかもしれない。あるいは、自分の運命を悟ったのだろうか。ケインが安全な車内に飛び乗ると、ジェムソンは外からリアゲートを閉め、手のひらでガラスを叩いた。

「さあ、行け……」苦しそうな声で指示を出す。

　シャルロットはジェムソンを助けようと身構えた。だが、運転席に座るタッカーは冷酷なまでに現実的な判断を下した。エンジンがうなりをあげ、ランドローバーが急発進する。シャルロットは窓の外に目を向け続けた。ジェムソンはじっと立ったままで、逃げようともしない。コウモリたちが彼に襲いかかった。それでもなお、ジェムソンはシャルロットが思っていた以上に長い時間、その場に立ち続けた。

　モンクが彼女を窓から引き離した。「彼は自分がもう助からないことを知っていたんだ」

「わかっている。でも、もし私が――」

「『もし』の話をしても仕方がない。彼は俺たちに生き延びるチャンスをくれた――それを無にしてはならない」

　シャルロットはそのことをすんなり受け入れられず、前を向いた。タッカーはハンドルに覆いかぶさるような姿勢になり、人の姿がない迷路のような道を高速で飛ばしている。

前方にはジャングルが待ち構えていた。あたかも壁のように立ちはだかっている。次の瞬間、タッカーが急ハンドルを切り、ジャングルの外れに沿って車を走らせ始めた。

シャルロットは身を乗り出した。

〈どこに行くつもりなの？〉

午後十一時五十五分

タッカーには説明している時間がなかった。

〈残り五分〉

爆発から逃れるためにジャングル内を一キロ以上も走り抜けることは無理だ。そのことは最初からわかっていた。必要なのは身を隠せる場所を、それも十分な距離があるところで、身を守ってくれるだけの強度があるものを見つけることだった。

タッカーはある期待にすがっていた。

〈わずかな可能性を提供してくれたのは、あのド・コスタの野郎だ〉

町の南の外れまで到達したタッカーは、外に通じる道を発見した。頻繁に利用されているらしく、深い轍が残っている。タッカーはその道に車を乗り入れ、高速で飛ばした。上下に、あるいは前後に激しく揺れるランドローバーは、乗っている人間を振り落とそうとする暴れ馬のようだ。それでも、タッカーはアクセルをいっぱいに踏み続けた。

少なくとも、コウモリたちは追跡をやめてくれたようだ。執拗《しつよう》に付きまとっていた大群がその目的――侵入者の排除を果たしたからだろう。

道は期待していたよりも短かった。タッカーとしては鉱山からもっと距離を稼げるのではないかと期待していた。だが、真っ黒な川面《かわも》が行く手を阻んでいる。道は鉱山の荷役用のドックで終わっていた。

桟橋の先に連なる光景に、タッカーは安堵のため息を漏らした。

錨《いかり》を下ろしたままのはしけの列がまだ川を封鎖していた。高くそびえる操舵《そうだ》室のいくつかは明かりがついたままだ。船体の側面にはタイヤが吊るされていた。

モンクがタッカーの肩をぽんと叩いた。「いい考えだ」

「本当にそうかはまだわからないぞ」

体内時計はカウントダウンを続けている。

〈残り三分〉

タッカーは前方に目を凝らし、進行方向を微調整してからいちばん外れの桟橋に向かって突き進んだ。そこならば最も手前側にあるはしけまでの距離がほかよりも短い。船体側面の開いたハッチまで一直線にタラップが渡されていた。傾斜路は幅があり、鉱石を積んだトロッコの積み込み用の線路が設置されている。

タッカーは栈橋を突っ走り、そのままタラップに進入した。ランドローバーは激しく揺れたが何とか持ちこたえ、タラップからはしけの船倉に突っ込んだ。

〈残り二分……〉

タッカーは車を走らせ続けた。ヘッドライトの光で石炭や鉱石を積み上げた巨大な山が浮かび上がる。タッカーは左右にハンドルを切り、鉱山との間にできるだけ多くの障害物を挟もうとしていくつもの山の間をすり抜けながら船倉の奥に進んだ。

ようやく急ブレーキをかけて車を停止させると、ほかの人たちの方を見る。「覚悟しておけよ。耳を手でふさいで、口は開けておくこと。これから人生で最悪のジェットコースターを経験することになる」

〈人生で最後の、にならなければいいんだが〉

最後の一分間はもどかしいまでに長く感じられた。タッカーは運転席の背もたれを乗り越え、ケインの横に移動した。相棒を抱き締め、はあはあという息づかいを浴び、そのぬくもりを感じ取る。舌がタッカーの顔をなめる。冷たい鼻先が顎をつつく。

「わかっているよ。俺たちはいつでも一緒さ」

〈最後の最後まで〉

タッカーは腕時計に目を向け、最後の一秒が経過するのを見届けた。

ド・コスタは時間に几帳面《きちょうめん》な男だった。

この世の終わりかと思うような爆発音が聞こえた。体がつぶされてしまいそうな強烈さだ。ほんの一瞬、タッカーは爆発を乗り切れたのではないかと思った――次の瞬間、衝撃波が襲いかかった。はしけが激しく押し上げられ、横に傾く。石炭や鉱石の山が崩れ、タッカーたちの方に流れ落ちてくる。爆発の威力の直撃を受け、船体の継ぎ目が破れる。隣のはしけとぶつかって鋼板が内側に吹き飛ぶ。

ランドローバーは前後左右に揺れながらも衝撃を持ちこたえていたが、ついには耐え切れなくなってひっくり返った。鉱石と石炭が周囲に降り注ぎ、車体をのみ込もうとする。

全員が座席の背もたれや互いの体にしがみついた。それなのに、高速で作動するペイントシェイカーの中に放り込まれたかのようだった。上になったり下になったり、肘がぶつかったり足が当たったり。永遠に続くかのように感じられたが、タッカーはこれまでの経験から恐怖が時間を無限にまで引き延ばしているのだとわかっていた。

ようやく周囲の世界が落ち着きを取り戻した。

まだ鉱石が落下したりずれたりしている。負荷のかかった金属からうめき声に似た音が漏れる。ランドローバーは車体の後部を下にして垂直に立ち、崩れた石炭の側面に半ば埋まった状態になっていた。

フランクがほとんど砕けてしまったフロントガラスまでよじ登り、残っていたガラスを足で蹴って通り道を作った。各自が武器と装備を集め、車外に出ると石炭の斜面を滑り下りた。どうやらはしけは横倒しになっているようだ。

「沈まないうちに外に出た方がいい」モンクが促した。

タッカーは無事だった懐中電灯を回収し、その光を頼りに出口に向かった。真っ暗な広い空間で崩れ落ちた石を乗り越えながら歩いていると、洞窟探検隊のリーダーになったかのような気分になる——もちろん、元気いっぱいの犬もその一員だ。

全員が足を引きずりながらよろよろと歩いていて、体や頭をぶつけているし、あちこちから出血もしている。だが、幸運にも誰一人として骨折はしていないようだった。

ようやく操舵室に通じる金属製の梯子《はしご》までたどり着いた。はしけが横倒しになっているので、梯子はほぼ水平の角度だ。一行はその上を歩いて操舵室に入り込んだ。ガラスはすべて割れているか、吹き飛ばされるかしていた。被害の状況を確認しようと外の様子が見えるところまで進む。

フランクがうめき声をあげた。「沈没の心配はいらないようだな」

タッカーは真っ暗なジャングルを見渡した。船の四方は木々に囲まれている。ジャングル内にはほかにもはしけが転がっていて、あたかも列車の脱線現場を見ているかのようだ。川を封鎖していたはしけは、タッカーたちが乗り込んだものも含めてすべてが、ジャングルまで吹き飛ばされていた。

向こう岸のジャングルの奥では巨大なクレーターが煙を噴いていた。その中心部分で燃える炎が粉塵《ふんじん》を通して確認できる。暗い中なので穴の大きさを把握することは不可能だ。

「これからどうするの?」シャルロットが訊ねた。

タッカーはフランクと顔を見合わせた。すでにその件に関しては話がついている。無事に生き延びられるかもしれないという常軌を逸した楽観主義のおかげだ。

〈ほらな、助かったじゃないか〉

タッカーは川の上流を指差した。「ド・コスタのやつは島でも同じようなことを企んでいる。彼が話しているのを聞いたんだ。『片付ける』という言葉を使っていた。だから、簡単にはきれいにできないようにするつもりだ」

シャルロットが唖然《あぜん》とした表情を浮かべた。「あそこに戻る気なの?」

「外と連絡を取れるチャンスがいちばん大きいのはあの島だ。それにそのためのやり方もわかったし」タッカーは妨害電波を解除するコードの入ったドレイパーのUSBメモリを思い浮かべた。「あと、そのついでにちょっとした仕返しができるかもしれない」

モンクがうなずいて計画への賛成を示した。

ケインもしっぽを振っている。

「私も一緒に行く」シャルロットが言った。反対の声があがりそうだと察したのか、その前にきっぱりと宣言した。「あそこには患者たちがいる。今でも私には責任があるから」

「かなりの距離を歩いて戻らなければならないぞ」フランクが警告した。

シャルロットが背筋を伸ばした。「彼らを見捨てるつもりはないから」

モンクが彼女に小さな笑みを向けた。「そういう心意気なら、俺のかかりつけの先生になってくれないかな？」

22

四月二十五日　中央アフリカ時間午前四時十一分
コンゴ民主共和国　イトゥリ州

グレイはATVのハンドルと格闘しながら、地衣類の生えた巨岩や苔に覆われた岩場から成る険しい地形を進んでいた。ヘッドライトの光が鬱蒼と茂ったジャングルの暗闇を貫く。光はあちこちに揺れていた。激走するモンスタートラックのように、巨大なタイヤで障害物を乗り越えながらジャングルを突き進む。車体は片側に傾いたかと思うと今度は一気に反対側に傾くという動きを繰り返していて、全員が左右に激しく揺さぶられた。

ベンジーとファラジは車体の後部に座っている。シートベルトを締めているにもかかわらず、手足を広げて懸命に踏ん張っているので、二匹のリスザルが嵐に翻弄《ほんろう》される木から吹き飛ばされまいと必死にしがみついているかのように見える。

グレイの隣ではコワルスキがエンジン音に負けないほどの大きないびきをかいていた。

頭が前後に激しく揺れても一向に目を覚まさないので、頭蓋骨の中に大したものは入っていないのだろう。

グレイが運転を交代したのは二時間前、夜の嵐がようやく収まった頃だった。だが、今もなお、どこを見ても水が滴り続けていて、ジャングルが涙を流しているかのようだ。グレイはこの果てしなく続くかと思われる夜も終わろうとしている兆しが見えることを祈りながら、東の空に夜明けの気配を探した。

あいにく、進行方向に当たる東側にはジャングルに覆われた山々、断崖、円錐《えんすい》形の火山が壁のように立ちはだかっていた。標高が四千五百メートルを超えるような高峰もある。グレイたちの進路はアフリカ大陸の西半分、地形学的には「ローアフリカ」と呼ばれる標高の低い地域から、高地や山脈から成る「ハイアフリカ」に通じている。その二つの地域を隔てるのが東アフリカ大地溝帯だ。多くの小さな地溝帯に分かれたその総延長は七千キロ近くに及ぶ。地形図によると、グレイたちの真正面に位置するのがその中でも最も過酷な環境と言われるアルバーティン地溝だ。

グレイが地形図上に引いた青い線はその荒涼とした地形の真ん中に通じていた。ソマリアプレートが大地を隆起させ、急峻《きゅうしゅん》な断崖と切り立った山脈という突破不可能な壁を形成している。

グレイはそこに向かって標高が高くなるにつれてジャングルがまばらになるのではない

かと期待していたが、それとは裏腹に木々はますます高く伸び、密度も濃くなっていった。あたかも隆起によって誕生した高地をジャングルが植物の重みで押し戻そうとしているかのようだ。

ヤシやレッドシダーの幹はとてつもない大きさに成長している。垂れ下がるつる植物が網のように木々を覆う一方、密生したタケが障壁を形成しているところは迂回《うかい》しなければならなかった。苔に覆われ、つる植物が絡まり、巨大なシダが生い茂った景色は先史時代を思わせ、ジュラ紀の世界そのものに見える。

かつてフロントガラスがあった場所からジャングルが車内に入り込もうとする。腐りかけの甘ったるいにおいが漂う。木の葉が容赦なく打ちつける。蚊やブヨの群れが車内に侵入し、刺したり嚙んだりしてグレイたちを悩ませる。速度が落ちるとATVの排気管から出るディーゼルの排気ガスがしつこい虫たちを追い払ってくれる。しかし、一息つけたのもつかの間、車の速度が上がるとすぐに虫たちは車内に舞い戻ってきた。

だが、そんな小さな厄介者は大した脅威ではない。グレイはより大きな危険を警戒しながらジャングルに目を向け続けた。ここから二キロほど手前の地点では湾曲した牙を持つ野生のイノシシの群れが現れ、大きな岩を避ける川の流れのようにATVをよけながら車の周囲を駆け回った。だが、やがて群れはグレイたちを無視して走り去り、危害を及ぼすことはなかった。

ふと気づくと、グレイはかなり長い間ずっと息を殺していた。緊張のせいで左右の肩甲骨の間の筋肉がこわばってしまっている。フロントガラスがないので無防備に感じられる。何時間も攻撃を受けていないため、いつ新たな襲来があってもおかしくないという気がしてくる。グレイは周囲を見回しながら、行く手に見える急な上りにATVを進めた。

斜面を上り切ると、ようやくその先はしばらく平坦《へいたん》な地形が続いていた。グレイは増水した川に沿って車を進めた。鉄砲水が発生したのか、川岸の下草や茂みが根こそぎになっている。おかげで速度も上がり、いくらか希望が持てるようになった。

とはいえ、周囲の真っ暗なジャングルはその希望を打ち砕こうとする。イトゥリの森は六万五千平方キロ以上の面積を占める。その五分の一が保護区として維持・管理下にあるが、それ以外は手つかずの自然が残ったままだ。なかでもこの東の外れの地域は迷路のように入り組んだ地形が深いジャングルの下に埋もれている。

ここには何が隠れていたとしてもおかしくない。

ベンジーがしっかりと握り締めていた肘掛けから手を離し、前に身を乗り出したのもそれと同じ不安からだったに違いない。「このウイルスの発生源についてずっと考えていたんだけれど」ベンジーが切り出した。

グレイは若者の方を振り返った。「それがどうかしたのか？」

「その源が本当に僕たちの行く手にあるんだとしたら、かなり長い間、たぶん何千年もの長期にわたって休眠状態にあったはずだよ」

「少なくとも、プレスター・ジョンと彼の失われた王国の時代まではそうだった」グレイも同じ意見だった。

「そういうこと。でも、何が今になってこのウイルスを目覚めさせたのかな？　そんなにも長い間、大人しくしていたのに。何かが引き金になったはず。僕がどうしてもわからないのはそのことなんだ」

グレイは大学院生に向かって眉をひそめた。「最近の洪水が理由だということじゃなかったのか？　そのせいでウイルスがより広い世界に流出した」

「モンスーンによる大雨がウイルスの拡散を深刻なものにしたことは間違いない。でも、最初の放出は嵐が訪れるよりも前のことだったと思う。数カ月、またはもっと前かも。僕たちが見たことを考えると、なおさらそう思う」

「どういう意味だ？」

「ジャッカルのことをずっと考えていた。大雨と洪水で本来の縄張りから移動せざるをえなくなったことは間違いないと思う。群れがどこからやってきたにせよ、あのような生物学的な変化をもたらすためには、ウイルスが少なくとも一年前から活発になっていたと考えないと辻褄《つじつま》が合わない」

グレイは今の意見を考えた。ベンジーから聞いた話では、ジャッカルの妊娠期間と産まれた子供が性的に成熟するまでの期間は一年に少し満たないくらいだということだった。

ベンジーの説明は続いている。「でも、もしあのジャッカルの群れがウイルスの影響を受ける範囲内でずっと前から暮らしていたとしたら、何世代にもわたってウイルスにさらされていたことになるから、通常の外見からもっとかけ離れた変化が現れていたはず。単に体が大きくなっただけではとどまらなかったと思う」

「つまり、動物たちはこの一年間のうちに感染し、そのためまだ穏やかな変化が起きただけだと考えているんだな？　その後、洪水に追いやられて離れた場所まで移動した」

ベンジーがうなずいた。「推測にすぎないけれど、ウイルスは突然に拡散を始めたんだ。でも、最初は限られた範囲内にしか到達せず、その地域の種だけが影響を受けた。それからゆっくりと外に広がっていった。種から種に移りながら」

「そして嵐が襲来した」

ベンジーがうなずいた。「洪水が大移動の引き金になって環境の大きな変化が起き、ついにはウイルスが人間の住む地域にまで波及した」

「それがつい最近の出来事なのはわかっている。でも、君はウイルスそのものははるか昔から存在していたと考えている」

「うん。それが気がかりなことなんだ」

「なぜだ？」

「僕たちはウイルスの発生源がどこなのかを突き止めることに意識を集中しているけれど、何千年も眠っていたウイルスがそもそも拡散したきっかけは何だったのかを調べることも、それと同じくらいに重要だと思う」

グレイはベンジーの言う通りだと思った。「それについて何か考えがあるのか?」

「たぶん……」

グレイはその返事から大学院生のためらいを感じ取った。この若者が才能に恵まれているのは間違いなく、謎を解明する能力に関しては自分に引けを取らないかもしれない。その点では、ベンジーはグレイの同志とも言うべき存在だった。

「何を考えているんだい?」グレイは答えを促した。

ベンジーがジャングルの奥を見つめた。「今のところ、僕たちがウイルスの主なターゲットみたいだ。僕たちの動きを鈍らせ、無反応にする一方で、環境をより敵対的な状態に高めている。でも、僕はウイルスの知性と先見性を深読みしすぎているのかもしれない。今回の件は何もかも、人間がウイルスの通常の生物圏を侵害しただけのことなのかも。道路や建物の工事、森林の伐採を通じて」

グレイは前を指差した。「地図によると、コンゴ民主共和国の北東の外れ、国境のすぐ近くに大規模な鉱山——キロモトがある。現在地からほんの三百キロほどの地点だ。資料によると、その規模は徐々にジャングルの奥深くへと広がっているらしい」

その鉱山がグレイの目に留まったのには別の理由もあった。そこは金の一大産出地で、一九〇三年にイトゥリ川沿いで金塊が発見されたことを機に開発された。自分たちのチームは有名なソロモン王の金鉱伝説と関連のある謎の王国を探しているわけだから、現在のそこでの操業はこの地域にかつて金鉱が存在していた歴史的な根拠の裏付けと言えるのではないだろうか。

ベンジーはグレイが指差す方向をじっと見つめている。「現地の採掘量の増加がウイルスの本来の環境を乱し、広がるきっかけになったのかもしれない。でも、よくわからないな」ベンジーがうっすらと伸びた顎ひげをさすった。「それで決まりだとは言えない。大きな要因を見落としているように思う。瞬く間に環境を破壊し、ウイルスを世界に解き放った劇的な何かを」

「例えば?」

ベンジーは肩をすくめた。「見当もつかない。でも、答えがあるとすれば、僕たちが向かう先のどこかのはず」

グレイは前方に全神経を集中させた。

〈それならば、俺たちが見つけ出さないと〉

午前五時二分

四十分後、グレイは目に滴る汗をぬぐっていた。ずっとたどってきた川からは湯気が上がり、水はかなりの高温になっている。そのせいで周囲の湿度が上昇しているうえに、空気中には硫黄のにおいも漂っていた。

ようやく水路が地下に消えると、グレイはほっとため息を漏らした。温泉地帯を抜けているということは、このあたりの地溝帯が地質的に活発で、そのため地震が頻発するほか、活動中もしくは一時的に活動が止まっている火山が存在することも示している。温泉の硫黄臭と高温を逃れることができて安堵したのもつかの間、ジャングルが見る見るうちに両側から迫ってきた。そればかりか、再び上り斜面が始まった。

グレイはＡＴＶの速度を落とした。雲が一時的に薄れて月明かりが漏れているおかげもあり、林冠の隙間から前方の夜空を二分する山脈や断崖の黒い輪郭が見える。グレイは距離を推し量ろうとした。

〈だいぶ近づいているに違いない〉

グレイは車を停め、隣でまだいびきをかいているコワルスキを肘で押した。反応がないのでもう一度、もっと強めに小突く。それでも目を覚まさないので、今度は脇腹に肘を思い切り叩き込もうとする――だが、大きな手のひらが腕をつかんだ。

「もういっぺんやってみろ」コワルスキがグレイの腕を押しのけながら言った。「こっちもお返しをするぞ。ただし、何倍も強烈なやつを」

グレイは相手の脅しを無視した。「俺のバックパックから衛星電話を出してくれ。報告を入れる時間だ。ペインターとキャットの方が俺たちよりも調査が進んでいるかもしれない」

コワルスキはぶつぶつ言いながら衛星電話を取り出し、バッテリーを装着してグレイに手渡した。「左のタマを賭けてもいいが、きっとシグマも俺たちみたいに途方に暮れているぞ」

グレイは二人にもっと大きな信頼を寄せていた。司令部を呼び出す。回線がつながるとすぐに相手が出た。ペインターとキャットが揃っていて、二人とも連絡を今か今かと待っていたに違いない。

「高地に到着しました」グレイは知らせた。「そっちは何かわかりましたか？」

「キャットに報告させる」ペインターが答えた。

電話の相手がキャットに代わった時、グレイはその声から緊張を感じ取った。「確信を持ってここだと特定できる場所は一つも見つからなかった」キャットが認めた。「でも、写真は百年前に撮影されたもの。浸食や地滑りで地形が大きく変わってしまった可能性もある」

グレイは目を閉じた。胸に落胆の思いが広がっていく。

キャットの話はまだ終わっていなかった。「ジェイソンと私である程度の推測ができたところ。写真の地形の輪郭との一致度が最も高い地域を検索してみた。候補地は十八カ所。今からそっちに送信するから」

衛星電話を肩と耳の間に挟んでから、グレイはタブレット端末を取り出して地形図を表示させた。画面を眺めているうちに小さな青い正方形が現れ、高地一帯に広がっていく。

〈こんなにも数が多い……〉

「これ以上は絞り込めなかったのか?」グレイは訊ねた。

「ちょっと手が回らなかったの」キャットが険しい口調で答えた。

グレイは彼女のいらだちと緊張の理由が予想できた。「モンクたちから何か連絡は?」

「まだ何も」短い答えが返ってきた。

ペインターが会話に割り込んだ。「ウイルスとともに拡散している混乱とコンゴ民主共和国の有能とは言えない指揮系統のせいで、協力を得ることが難しい。しかも、全域が雷を伴う嵐に見舞われている。夜明けまでにはより本格的に取り組めるのではと期待しているところだ」

グレイにはキャットの不安が痛いほどわかった。「モンクならきっとそれまで踏ん張ってくれるはずだ」

「そうでないと困る」キャットが答えた。

グレイは地図上に点在する青い点をじっと見つめた。親友の安否が気になるものの、その不安はひとまず心の隅に追いやる。ここからではどうすることもできないし、自分も困難な任務に直面しているのだから。

通信がこれ以上長引くことを恐れ、グレイは電話を切った。仲間たちに通話内容を手短に説明する。それから地形図が表示されたタブレット端末を回し、この先に控える難関を見せた。

コワルスキが顔をしかめながらタブレット端末を返した。「大して役に立たないな」

「ああ、そうだ」

大男は助手席に座り直した。「まあ、少なくとも俺の左のタマは無事だったわけだ」

ベンジーはジャングルを見つめている。「これからどこに向かうつもり？　そもそもどこから調べればいいんだろう？」

グレイは再びＡＴＶを走らせた。「地図上でいちばん近い場所に向かう――それから一カ所ずつ、順番に調べる」

ベンジーが背もたれに寄りかかった。「何週間もかかるかもしれない。そんなに長い分の食料はあるの？」

「いいや」グレイは認めた。

とはいえ、そのほかのヒントはないため、このまま続行せざるをえない。グレイは前方の尾根を目指してジャングルを横切り始めた。一キロ進むごとにジャングルが深くなり、地形も傾斜が急でより危険になっていく。歩く方が速いくらいの移動ペースになった。

グレイはベンジーによる所要時間の予想がかなり控え目な数字だと確信した。〈十八カ所すべてを捜索するには、何週間どころか何カ月もかかりそうだ〉

険しい尾根に差しかかり、グレイはいらだちから声をあげた。タイヤがスリップし、地面をとらえ、再びスリップする。車が通過した後のジャングルには大きな傷跡のような隙間ができていた。しかし、ジャングルでは木々が瞬く間に空いた場所を埋めてしまう。自分たちが通った痕跡もほんの数日のうちにかき消されることだろう。

そんな思いにグレイの不安はいっそう高まった。

ガタガタと揺れる車を岩と木々から成るこの迷路のさらに奥深くへと進めながら、グレイはベイリー神父の話を思い出した。十二世紀、教皇アレクサンドル三世のお付きの医師がプレスター・ジョンの失われた王国の捜索に派遣されたが、ジャングルに姿を消し、そのまま戻ってこなかったという。

〈無理もないな〉

グレイはバックミラーに目を向けた。後方の隙間が見る見るうちに閉じていくように感じられる。単なる目の錯覚で、車の明かりが揺れているせいかもしれないが、つる植物が轍やつぶされた下草の上にするすると伸びているかのようだ。その左右を見るとシダの大きな葉が車の通った跡を覆い隠そうとしている。グレイは目をこすりながら見直したが、注意を向けるべき場所が間違っていた。

「危ない！」ベンジーが叫んだ。

グレイは前方に意識を戻した――すぐに急ブレーキを踏む。

コワルスキの巨体が前に押し出され、シートベルトに食い込んだ。「何だ？」

フロントガラスがあったところを何かが通過し、グレイとコワルスキの間の背もたれに突き刺さった。槍だ。二人の間で柄が上下に震えている。

コワルスキが罰当たりな言葉を吐き捨てながらシートベルトを外し、シュリケンを構えて狙いを定めた。

グレイは手を伸ばし、武器を押し下げた。「撃つな」

前方にはヘッドライトの光の中に小柄な人たちの一団が立っていた。身に着けているのは腰布だけで、槍や弓矢を手にしている。ジャングルの中にはもっと大勢のハンターたちが隠れているに違いない。

グレイの頭にシェパード牧師の最後から二枚目の写真の裏に線で描かれていた人々の姿がよみがえった。あそこに記されていたのもこれと似た状況だった。

〈ピグミーだ〉

グレイは左右の手のひらを見せ、両腕をフロントガラスがあった場所の前に突き出した。隣に突き刺さる槍は警告の印で、引き返すように求めているのだろう。けれども、グレイは平和以上のことを期待していた。今は地元の部族の協力が必要だ。この地域をよく知る人間がいるとすれば、はるか昔からここで狩りを続けてきた彼らしかいない。

〈シェパード牧師の写真の裏に描かれていたスケッチが伝えていたメッセージはそのことなのだろうか?〉

部族の助けを求めよ、という。

今のところ、ハンターたちはそれ以上の攻撃の姿勢を見せない。だが、道を空けようともしない。

「どうするんだ?」コワルスキが訊ねた。

「この膠着《こうちゃく》状態を終わらせなければならない」グレイは両手を上げたまま後ろを振り返った。「そのためには親善大使が必要だ」

午前五時二十分

ベンジーはグレイとコワルスキとともに少し距離を置いて待っていた。三人が立っているのはATVの車体の横だ。不安でいてもたってもいられない。ヘッドライトの光が照らす先にはピグミーの一団に近づくファラジがいた。少年は両手を高く上げ、手のひらに何も隠していないことを見せている。

ファラジがハンターたちに近づくと、槍の先端がいっせいに少年の胸に向けられた。弓を引く手にもいっそう力が入った。

「これはいい考えじゃなかったかも」ベンジーはつぶやいた。

グレイも心配そうな表情を浮かべながら、誰もがわかっている事実を口にした。「彼らの言葉を話せる可能性があるのはファラジだけだ。俺たちを助ける気があるのかどうか、彼らに確かめる必要がある」

ベンジーは唾を飲み込んで不安を抑えつけた。ファラジがハンターたちを説き伏せ、信頼を勝ち取ってくれることを願うばかりだ。

容易なことではなさそうだった。

アフリカを訪れる前、ベンジーはコンゴ民主共和国内で暮らすピグミーに関する記事を読んだことがあった。彼らの多くはファラジと同じようにバントゥー語を話すが、独自の方言を使う一団もいる。はるか昔、ピグミーは一つのまとまった部族で、共通の祖先を持っていた。だが、三千年前、農民たちが彼らの暮らす土地に侵入し、部族を分断してしまった。今では多くの部族は互いの存在すら知らないという。

　また、ピグミーはアフリカ中央部に九万年以上も前から暮らしてきた。その起源は今も謎のままで、そのこともベンジーの好奇心を刺激した。

　身長が低い理由も判明していない。ほとんど太陽の光が当たらないジャングルの中で一生を過ごすせいでビタミンDが不足し、そのためカルシウムの摂取が少なくなるからだと考える人もいる。蛋白質《たんぱくしつ》の不足と偏った食生活が原因だとする意見もある。ほかにも諸説あるが、理由が何であれ、その何かが遺伝子に変化をもたらした。子供の頃の成長は普通なのだが、通常は思春期に見られる身長の急激な伸びが抑制されるため、大人になっても背が低いままなのだ。

　ベンジーはこの遺伝的な特徴にも興味をひかれた。ストレス誘発性の遺伝的な特徴という自らの研究にも通じるからだ。

　残念ながら、そうした知識はここでは役に立たない。

　向こう側ではファラジが身振りで何かを伝えようとしている。バントゥー語の会話の断片が聞こえる。ハンターたちのうちの何人かはバントゥー語を話せるようだ。ただし、そのことが功を奏している様子はない。相手は首を横に振っているし、槍での脅しもやめようとしない。

　ベンジーにはピグミーたちがそこまで警戒する理由を想像できた。十年以上前、コンゴ民主共和国の反乱軍は土着のピグミーを対象としたジェノサイドを開始した。作戦名は

「エファセ・ル・タブロ」、フランス語で「白紙に戻す」の意味だ。反乱軍はわずか一年の間に七万人以上のピグミーを虐殺したという。

〈彼らが僕たちのことを脅威だと見なすのも当然だ〉

　何本もの槍先がファラジの胸に迫り、少年を後ろに追いやる。ファラジはあわてて後ずさりし、がっくりと肩を落とした。

「外交交渉はうまくいきそうにないぞ」コワルスキが指摘した。

　ベンジーはあきらめようとしなかった。いくつもの選択肢を頭に思い浮かべ、この部族について自分が知っていることと照らし合わせていく。ピグミーは長い口述の歴史を維持していて、歌や物語の形でそれを継承しているという。

〈もしかすると百年前の知識も引き継いでいるのでは？〉

　ベンジーはグレイの方を見た。「彼らにシェパード牧師の写真を見せよう。彼がこのあたりを通ったことはわかっている。彼のことを覚えているかもしれない」

　グレイがその意見をすぐに受け入れ、うなずいた。「だめな理由はないな。やってみる価値はある」

　グレイが白黒写真を取りに車内に戻る一方で、ベンジーはリアゲートに向かった。ハッチを引き開け、自分たちの装備の中からファラジのバックパックを探し出す。ベンジーはジッパーを開け、シャーマンが持っていたンゲディ・ヌ・ンテイ——部族の大切なクバ・

ボックスを手に取ると、木のふたを開けて箱の中からハンターたちの記憶に残っているはずの別の物体を取り出した。ウィリアム・シェパード牧師に似せて彫られたンドップ像だ。

ベンジーは急いでグレイのもとに戻った。「全部持っていく方がいい。理解してもらえるといいけれど」

グレイがコワルスキを指差した。「ＡＴＶから離れるなよ」

肩をすくめたコワルスキは残るように指示されたことがうれしそうだった。だが、グレイの命令は乗り物を守ることが目的ではなく、大男がおかしな真似をしないようにするためなのではないか、ベンジーはそんな気がした。

グレイとベンジーはファラジのもとに歩み寄った。相手も二人の接近に気づいた。さらに多くのハンターたちがジャングルの暗がりから現れ、左右と後方から包囲網を狭めていく。

二人が近づくとファラジが振り返った。グレイとベンジーが手にしているものに気づき、目を丸くしている。大切な遺物が贈り物として相手に引き渡されてしまうと勘違いしたのかもしれない。

ベンジーは少年に説明した。「このハンターたちがシェパード牧師について知っているかを確かめたいんだ。彼がここを通ったことはわかって――」

ピグミーのうちの一人が前に進み出た。かなり年配の男性で、髪は白く、針金のように細い筋肉の上の皮膚はたるんでいる。それでも体からは生気がみなぎり、目もらんらんと輝いていた。

「シェプ・パード」老人は名前を二つの単語のように発音した。

どうやら牧師のことを知っているらしい。

ベンジーはグレイの方を見た。グレイも前に進み出て、写真を扇形に広げた。長老に向かって差し出す。だが、それに対する相手の反応は顔をしかめただけだった。槍先がグレイの手から写真を払い落とした。写真が地面に散らばる。

ファラジがあっと声をあげ、体をかがめて写真を拾い上げた。

長老が槍の先端をベンジーに向けた。ベンジーの手の中にある彫像を指している。ごくりと唾を飲み込んでから、ベンジーは像を前に差し出した。

長老が歩み寄り、像を奪い取った。年老いたハンターは像をじっと見つめ、においも嗅いでいる。指先がサファリハットからその下の顔に移動し、銀の木目入りのコクタンに彫られた細かい表情をなぞった。しばらくすると長老は像をうやうやしく返した。そして柄の部分を下にして槍を地面に立て、何かを待っているかのようにベンジーたちの方を見つめた。

写真を拾い終えたファラジが戻ってくると、グレイが少年の肩に手を置いた。「彼らにジャングルの危険について伝えてほしい。俺たちがなぜシェパード牧師の向かった先を、ジャングル内に隠された失われた都市を探しているのかを」

ファラジが手を横に振った。「もう伝えた。シェパード牧師のことは言わなかった。でも、ほかの話はした」

グレイが納得できない様子で眉をひそめた。「ここに何らかの手がかりが隠されているなら、見つける必要があるんだ」

ベンジーは長老が今のやり取りに耳を傾けていたことに気づいた。まるで内容を理解したかのように、眉間のしわが深くなっている。その視線が再びンドップ像に留まった。その表情が和らぎ、どこか寂しげに見える。それとも、落胆しているのだろうか。

ファラジがさらなる説得を試みるよりも早く、年老いたハンターが背を向けた。腕を高く上げて心にしみる音色の口笛を鳴らし、仲間たちに立ち去るよう合図を送った。侵入者の相手は終わったということだ。

グレイも同じことを恐れたのか、前に足を踏み出した。「待ってくれ」

だが、ベンジーの思い違いだった。長老はハンターたちにここを離れるように合図したのではなかった。ほかの仲間を呼び寄せていたのだ。

ジャングルの中からいくつもの影が現れ、ヘッドライトの光が当たる場所に出てきた。あちこちから集まってくる。頭を下げた姿勢で近づいてくる動物のつぶれた鼻先には長いひげが生えている。ぴんと立った長い耳は先端がふわふわした毛で覆われていた。短いアーチ状の首筋に沿って生えている逆毛は、体毛ではなく背骨が浮き出ているかのようだ。濃い琥珀《こはく》色の瞳が光を反射していた。

歩みを止めたその動物の背中はハンターたちの肩の高さまで達している。

かなり大きなサイズではあったが、ベンジーにはその種の正体がわかった。

〈少なくとも、こうなる以前の正体は〉

ベンジーは恐怖をこらえながら詳しく観察した。種の特定につながるそのほかの特徴を探す。

縞模様の体毛が分類を確実なものにした。ただし、この動物の毛は見る者の目を惑わすかのごとくちらちらと揺れていて、その模様が動物を周囲の環境に溶け込ませようとしているかのようだ。群れの存在が今まで気づかれなかったのも無理はない。ジャングルの中だと実体を伴う存在というよりも影に近い。

「フィシ・ンドゴ」ファラジがバントゥー語でささやいた。体つきは変わってしまっていても、動物の正体がわかったようだ。

グレイがファラジを、続いてベンジーを見た。

「プロテレス・クリスタトゥス」ベンジーは説明した。「ツチオオカミだ」

グレイが納得いかない様子で眉をひそめた。「あれがオオカミなのか？」

「実際にはオオカミよりもハイエナに近い種」ベンジーは答えた。「でも、ここにいるのは体がものすごく大きい」

ベンジーはツチオオカミから決して視線をそらさなかった。普通はほとんど人前に姿を見せない種で、シロアリなどの昆虫を主食にする。だが、それは本来のもっと小さな動物の場合であって、目の前にいる体重百キロ近い巨体がそうだとは限らない。歪んだ口元からのぞく歯には虫を嚙む以上の機能がありそうだ。

群れは不気味なまでにずっと大人しくしている。

長老は群れの中でも最も体の大きなオスに正対した。長老が手のひらを差し出す。ツチオオカミはそちらににじり寄り、手のひらに鼻先を押し当てた。そしてさらに近づくと、体をこすりつけて挨拶した。太いふさふさのしっぽを大きく振っている――ただし、まばたき一つしない目をベンジーたちからそらすこともない。

長老がオスに顔を近づけた。唇が動いているが、言葉は聞こえない。それを見たベンジーはタッカーとケインの関係を思い浮かべた。だが、目の前にあるのはそれよりも親密な何か、はるかに深くはるかに古くから存在する絆のように感じられる。ツチオオカミはこくりとうなずくかのように頭を動かし、長老の肩に頰をこすりつけてから向きを変えた。一跳ねでジャングルに姿を消す。

年老いたハンターもオスの後を追って歩き出し、ほかの動物や男性たちもそれに続いた。ベンジーたちはその場に立ち尽くしていた――やがて長老が眉をひそめて振り返った。ぐずぐずするなと叱っているのは明らかだった。

「僕たちも一緒に来るように言っているんだ」ベンジーは気づいた。

グレイが後ろを振り返り、コワルスキを手招きした。「だったらそうするぞ」

一瞬、ベンジーと長老の視線が交わった。黒い瞳から放たれる強烈な何かに、首筋の毛が逆立つ。その瞬間、ベンジーはジャングル全体が自分のことを見つめ返しているような気がした。

それればかりか、ベンジーはそれが気のせいではないように思った。

〈本当に見られているのかもしれない〉

午前六時四分

グレイはハンターたちの後を追っていた。小柄な体にもかかわらず、ピグミーの男性たちは自分たちだけが知っている道をたどりながらジャングル内を素早く移動していく。三十分もたつと、グレイはすっかり道に迷ってしまっていた。

ATVを残して出発する前、グレイは念のためにその場所のGPSの座標をデジタルの地図上に記録しておいた。だが、後方を振り返ると、もはや帰り道を見つけられるかどうか自信がない。

ベンジーとファラジは汗だくになりながらすぐ後ろをついてくる。

コワルスキはかなり遅れていた。大男はシュリケンを肩に担いでジャングルの斜面を上っている。ピグミーたちは武器や装備を持ち込むことに反対しなかった。もっとも、彼らには身を守る術《すべ》がいくらでもある。ツチオオカミの群れが左右を固めているが、ジャングル内を移動するその姿はほとんど見えない。ほんの一瞬だけ、垣間見れる時があるくらいだ。

そうした動物たちは脅威に当たる一方で、グレイはその存在に安堵を覚えた。ピグミーがこれらの変異したツチオオカミ――しかも、これほどまで大型化した種と共存しているのであれば、彼らはウイルスの発生源と関連のある歴史を持っているということにもなる。

グレイにとってはそれが頼みの綱だった。

一行はまわりを断崖に囲まれたジャングルの中を進んだ。崖のてっぺんは林冠の上にまで突き出ている。大きな岩をよじ登って越えなければならない箇所もあった。かすかに見える空が次第に明るくなり始めた。まだ太陽は昇っていないが、日の出が近づきつつある。

さらに奥へと歩き続ける間、ジャングルは静まり返っていた。彼らの通過に抗議する鳴き声は聞こえない。蚊の羽音までもが途絶えていた。静けさが重くのしかかる。足を前に踏み出すたびに、この場所を冒瀆しているように感じられる。ふと気づくと、静けさをこれ以上妨げてはならないという思いから息を殺していた。

やがて一行は深い渓谷の底の干上がった川床をたどるようになった。両側には断崖がそびえ、急峻な斜面もジャングルに覆われている。かつて流れていた水できれいに磨かれた石の川床の先には、濡れたシダの垂れ下がる絶壁がそそり立っていた。その時ようやく、グレイは足もとの石がかつての流れの跡ではなく、古くからある道の名残で、長い年月を経るうちに小石を敷き詰めたような状態になったのだと気づいた。

道の突き当たりの断崖面には巨大な亀裂があった。小柄なハンターたちが立ち止まり、入口の手前に集まった。その両側には見覚えのある二本の石柱がそびえている。

その光景を見たベンジーが「あっ」と声を漏らした。ふらつきながらも前に進むその顔に安堵の色が浮かぶ。「着いたんだ」

ファラジは表情を曇らせたまま、呪われた名前を口にした。「ムフパ・ウファルメ」

「足の裏にできたたくさんの水ぶくれに見合う価値がある場所ならいいんだがな」コワルスキが不平をこぼした。

グレイたちがそれ以上近づこうとした時、薄暗い渓谷から黒っぽい何かが飛び出してきた。先行していた巨大なツチオオカミだ。オスは部族の長老のもとに走り寄り、体をこすりつけながら相手の周囲をぐるりと回った。その動作に服従や敬意の姿勢は見られない。戻ってきた長老をいつものように出迎えただけだ。

全員の目が入口に向けられた。

ツチオオカミは一頭だけでやってきたのではなかった。そのすぐ後ろから別の一頭が姿を現した。体はさらに一回り大きく、年齢を重ねて体毛が長く伸びている。毛は灰色で、濃い色の縞模様が入っており、鼻先は雪のように白い。暗がりから現れたそのツチオオカミが入口の前に立ちはだかった。

それに続いてやってきたのは長身の男性で、肌は黒く、短い髪はツチオオカミと同じく年齢のせいで白いものが多くなっていた。きれいに磨かれた白い木の杖《つえ》を持っている。コンゴ人と思われるが、グレイはこの男性にとって国籍とか国境や政府に対する忠誠心などは意味を持たないような気がした。かなりの高齢にもかかわらず、ハンターたちから見知らぬ来客たちへと動くその目は鋭い輝きを放っている。

男性は杖を突きながらツチオオカミの前に出た。サンダルをはき、ゆったりとした質素な茶色のローブを身に着けていて、その表面には黒い刺繍《ししゅう》が縫い込んである。二つの矢印に挟まれた菱形模様だ。グレイはその形に見覚えがあった。ファラジによると、「ムブル・ブウィン」というその模様はクバ族の王族だけが使えるものだということだった。男性の胸元には絡み合った結び目がループ状につながった刺繍があり、その複雑な模様は見る者の視線をとらえて離さない。男性が暗がりの奥から新たな一日の始まりを告げる光の下に現れると、曲線やねじれがひとりでに動いているかのように見える。

グレイはこの記号についてもファラジから教わっていた。「イムボル」だ。王の存在を示す記号だという。それを裏付けるかのように、男性の頭には黄金の王冠が載っていた。ハンターたちが頭を下げて敬意を示したが、その態度から上下関係はうかがえない。

王はグレイたちに向かって片手を上げ、しっかりとした声で語りかけた。意外なことに、軽いイギリス訛《なま》りのある英語だ。「答えを求めるのであれば、私についてくるがいい」男性は背を向ける前に警告の言葉を残した。「ただし、心得ておくように。おまえたちは拒まれるかもしれない。彼女は怒っている――慈悲を示すことはない」

男性が引き返し始めた。

グレイはほかの人たちの方を見た。頭の中にはいくつもの疑問が浮かんでいるが、その中の一つがほかのどれよりも強烈な光を放っていた。

〈いったい誰のことを話しているんだ？〉

第五部

侵攻

23

四月二十五日　中央アフリカ時間午前六時二十八分
コンゴ民主共和国　イトゥリ州

グレイは黄金の王冠をかぶった長身の男性の後を追いながら、自分たちを先導するのが何者なのかを推し量ろうとした。杖を突いているものの、その物腰には威厳がある。カールした白い髪はあたかも雲のようで、それが質素な王冠を支えていた。歩くたびにローブの模様が揺れ動き、縫い込まれた刺繍というよりもまだらな影のように見える。

切り立った断崖の間の裂け目を奥に進む間、王はグレイたちをここまで案内したピグミーの長老と静かに会話をしている。

その左右を歩くのは二頭のツチオオカミで、砂利道の両側にあるシダの茂みを縫って進みながら、時にはその姿がまったく見えなくなる。さらに多くの動物たちと残りのピグミーのハンターはグレイたちの後方を歩いていた。

先に進むにつれて両側の断崖が遠ざかり、その間にジャングルが密生するようになった。上空は木々に覆われ、通路が緑のトンネルと化す。だが、葉の隙間から明るさを増しつつある空を垣間見ることができる。足もとの砂利が岩盤を削った段になっている箇所もあった。道は緩やかな上りで、この迷路のような山岳地帯の奥深くに通じている。道沿いにはさらなる石柱が点々と連なっていて、古代の道標を思わせる。奥に進むとともに高さが増していく石柱は、断崖から切り出した石を使用しているようだ。

「昔はこれらの柱がアーチを支えていたんだと思う」ベンジーが小声で伝えた。大学院生は前方に見える一組の石柱を指差している。先端が内側に曲がっているように見えるが、その間をつないでいた部分ははるか昔に崩落してしまったらしい。

グレイはうなずいた。後ろを歩くコワルスキとファラジの方を振り返る。グレイはこの裂け目の間の通路上に連なる石のアーチを頭に思い浮かべようとした。

前に向き直ると、ベンジーが先頭を歩く長身の男性を顎でしゃくった。「この道が本当に失われた王国まで通じているとしたら、彼はプレスター・ジョンの末裔《まつえい》だと思う？」

グレイも同じことを考えていた。

王はその問いかけが聞こえたらしく、年老いたハンターに案内を任せて二人の方に戻ってきた。「そうではない」男性はきっぱりと言った。「プレスター・ジョンの血筋は私が生まれるはるか前に途絶えた。今もなおその血が流れているとすれば、モリンボの人々の中にあるだろう」老人は先頭に立つピグミーを指差した。「彼らは何千年も前から、このジャングルと山の中で暮らしてきた。彼らはその秘密を守り、管理を続け、お返しとして育んでもらってきた」

「でも、あなたはどうなんですか？」グレイは背の高い男性の全身を眺めながら訊ねた。

「あなたは明らかにこの部族の人間ではない」

「あいにくそうではないが、彼らはずっと前に私を受け入れ、仲間として歓迎してくれた」老人は後ろに続く人々の方を見た。白内障のせいで少し濁った目に映っているのは、キロ数だけで測ることのできない遠い世界の景色だ。「私が生まれたのはここではなく、ムセンゲだ」

ファラジがはっと息をのみ、歩み寄った。「そこは僕が住んでいるところ。僕の家があるところ」

老人は少し寂しげな笑みを浮かべた。「もちろん、私には君がバクバだとわかる」二本の指で額に、続いて胸に触れる。これはクバ族の伝統的な挨拶だ。「私の名前はティエンデ。ジョセフ・ティエンデだ」

少年と老人を交互に見たグレイは、同じ部族ならではの似たところがあることに気づいた。老人がファラジの祖父だと言ってもおかしくないくらいだ。また、グレイはこの王と思われる男性が、クバ族の人々を表す時に古い単語を用いたことも聞き逃さなかった。

「あなたはどんな経緯でここにやってきたのですか？」グレイは訊ねた。

「君たちと同じなのではないかな。シェパード牧師の後を追ってきた」

グレイは眉間にしわを寄せた。この男性はかつて部族のシャーマンで、神聖なンゲディ・ヌ・ンテイとその中の秘密に触れることのできた人物だったのかもしれない。「あなたはシェパード牧師が残した手がかりを解読し、この場所を発見できたのですね？」

「違う。君は誤解しているようだ。私はシェパード牧師と一緒にここを訪れたのだ」

グレイは足がもつれそうになった。

ティエンデはため息をつき、寂しそうな表情を浮かべた。「牧師は私の友人でもあり、先生でもあった。私に英語を教えてくれたのは彼だ。正確には、イギリス人による植民地の学校で数年間学んだだけの私に、きちんとした教育を施してくれた」

グレイはその情報をすぐには理解できなかった。写真に記された日付によれば、ウィリアム・シェパード牧師がこの地を訪れたのは一八九四年のことだ。たとえ当時のティエンデがまだ少年だったとしても、今では優に百歳を超えている計算になる。

「ありえない」グレイはつぶやいた。

コワルスキも小馬鹿にするように鼻を鳴らした。

ティエンデは肩をすくめ、前を歩く小柄なハンターを指し示した。「私がシェパード牧師と初めてここを訪れた時、モリンボはすでに老人だった。彼によるとバラは彼にとって三代目のフィシ・ンドゴになるそうだ」

名前を呼ばれたのがわかったのか、ツチオオカミが茂みの間から姿を現し、ピグミーの長老と数歩だけ並んで歩いた――そして再び姿を消した。

「あの誇り高き動物の寿命は百年あまりなのだ」ティエンデは自分に付き従う年老いたツチオオカミに向かって笑みを浮かべた。輝きを発するかのごとき白い体毛を見ていると、すでにこの世の存在ではないかのように思える。「ムベが私と一緒に過ごせる時間も終わりが近づいている。私が初めてここを訪れた時、彼はまだ子供だった。左右の手のひらで抱えることができたほどだ」

グレイは先頭を歩く年老いたピグミーの男性を見て眉をひそめた。ティエンデよりも若く見えるが、今の話が事実ならばその何倍もの年齢を重ねていることになる。グレイはプレスター・ジョンが驚異的なまでの長寿だったとする伝説を思い出した。その言い伝えによると、失われたキリスト教徒の王の記録に残る最後の年齢は五百六十二歳だったという。

グレイはモリンボのことをもっとよく観察した。今までの話が誇張や嘘ではなく真実ならば、プレスター・ジョンの血筋はこのピグミーの人々の中にまだ残っているとティエンデが信じているのも理解できる。

グレイはティエンデの方を見た。「あなたがシェパード牧師と一緒に来たのなら、どうして戻らなかったんですか？　どうしてここに残ったんですか？」

「今ではそれが名誉なことだと考えている」ティエンデが答えた。「数少ないながらも外の世界に出たことはあるし、一度だけだがムセンゲの村に帰ったこともある。だが、あまりにも長い年月が経過した後だったので、見知らぬ場所を訪れたかのように感じられた」

老人は杖で周囲を指し示した。「ここが私の本当の故郷だ。私はここで妻に出会った。残念ながら妻はすでに他界したが、二人の立派な息子を生んでくれたし、その子供たち、さらにその子供たちも生まれた。そういうわけだから、私は満足のいく暮らしを送っている。自分などにはもったいないくらいの」

「どういう意味ですか？」グレイは訊ねた。

ティエンデが首を左右に振ってうつむいた。「君は私がここに残った理由を訊ねたね。私はそれに対して答えを返していない。今でも恥ずかしさが私の口を重くしている」

「それなら、何があなたをここにとどまらせたのですか？」グレイは重ねて訊ねた。

ティエンデは苦悩の表情を浮かべながら顔を向けた。「償いだ」

グレイはもっと知りたいと思ったが、元クバ族の老人は前を歩くモリンボのもとに杖を突きながら戻っていった。

ティエンデはグレイたちに対して最後に一言だけ付け加えた。「もうすぐ君たちにも理解できるようになる」

道はまたしても階段状になり、高い尾根に通じる斜面をジグザグに登っていく。一行は各自が物思いにふけりながら無言で歩き続けた。グレイは頭の中のすべてのピースをなかなか結びつけられずにいた。尾根の頂上に達する頃には登り始めた時よりも疑問が増えてしまっていた。

ティエンデは頂上で杖に寄りかかりながらグレイたちを待っていた。道は木々の上に突き出た岩を越えてその向こう側に通じているので、頂上には太陽の光が降り注いでいる。老人は疲れているように見えるが、年齢は百歳を超えているというのだから無理もない。グレイたちが追いつくとティエンデが手を上げた。

グレイは頂上からその先を見渡した。木々に覆われた盆地が広がっていて、そのまわりを山々や尾根が取り囲んでいる。とがった輪郭は盆地を埋め尽くすように生い茂ったジャングルからかすかに顔をのぞかせているにすぎない。この高さから見る林冠は密度が濃く、あらゆるものの侵入を阻むかのようだ。濃いエメラルド色はほとんど黒に近い。

「君が探し求めていたのはここだ」ティエンデが告げた。「モリンボの人々はここを『ウトト・ワ・マイシャ』と呼ぶ。『命の揺りかご』の意味だ。クバ族は『ムフパ・ウファルメ』と名づけた」

「骨の王国」グレイは言った。

ティエンデは広々とした盆地を見つめている。「どちらの名前も等しく当てはまる。君たちにも間もなくそれがわかるだろう」

老人は再び歩き出し、この先も続く急な階段を盆地に向かって下った。

グレイも後を追った。太陽の光が届かなくなり、周囲が再び影に包まれる。グレイは下の暗がりに消える階段を見つめた。何らかの答えがあるなら、それはあの先で見つかるはずだ。

〈しかし、俺たちは間に合うように答えを見つけられるのか?〉

午前七時四十五分

尾根を下り始めて一時間近くがたった頃、ベンジーは果たして階段に終わりがあるのだろうかと思い始めた。ジグザグに曲がるルートはどこまでも下りが続いていて、盆地は想像していたよりもはるかに深い。ようやく最後の段までたどり着いた時には、一・五キロ以上は下っていたはずだ。

盆地の底に向かう間、周囲のジャングルはますます高さを増していった。直径が三メートル、あるいはそれを上回るような太さの巨大な幹が、暗がりの奥にどこまでも続いている。列柱のごとく連なる木々が何層にも重なった林冠を支えていた。エメラルド色の輝きを帯びた太陽の光も、盆地の底まではわずかしか届かない。

あまりにも暗いため、グレイが懐中電灯のスイッチを入れた。

ベンジーは明かりが増えたことにほっとした。

二人のピグミーが階段のいちばん下の近くに積んであった松明《たいまつ》を手に取った。油分を含んだ木切れに火打石で火をつける。そのうちの一本は一行を先導するモリンボに手渡された。ベンジーは彼らが来客への配慮から松明を使用しているのではないかと思った。

「ここからはそれほど遠くはない」ティエンデが確約した。

「僕たちをどこに連れていくんですか?」ベンジーは訊ねた。

「まずは災いのもとに」老人は謎めいた答えを返した。「理解するためには、あまりにも多くの人を破滅に導いた誘惑のことを知らなければならない」

コワルスキが不満を漏らした。「ツアーの中の暗い話は飛ばしてくれるとうれしいんだがな」

ティエンデはその反応を無視して歩き始めた。松明を高く掲げたモリンボがここからも先頭に立った。ほかのピグミーたちが左右に広がる。ツチオオカミたちはそのさらに外側に散らばり、暗がりの中に姿を消した。

ベンジーたちは盆地を横切り始めた。光が届かないため下草はほとんど生えていない。何世紀にもわたる落ち葉と分解によって形成された周囲の黒っぽいローム層の土壌は、栄養分を豊富に含んでいるように見える。ひんやりとした空気は湿っていて、じっとりと肌にまとわりつくほどだ。濡れた葉とカビの甘ったるいにおいを上回る腐敗臭が漂っている。

それでも、自然はこの太陽の差し込まない世界でも生きる術を見つける。巨大な木の幹に無数の菌類が貼《は》り付いている。青白いキノコがあちこちに生えている。高さが腰のあたりまであり、裏面にひだの付いた傘の直径が一メートル近くに達するものもある。暗い地面にはバスケットボールほどの大きさのホコリタケも点在していた。

「まるで世界最大の地下貯蔵室に迷い込んだみたいだ」ベンジーは小声でつぶやいた。「ずっと昔に使われなくなって、そのまま放置されたならこんな風になるかも。あんなにも巨大なシロシベ・コンゴレンシスは見たことがない」ベンジーは膝くらいの高さがある黄色っぽいキノコが密生しているところを指差した。「普通は手のひらくらいの大きさまでしか成長しない。シビレタケはシロシビンとベオシスチンが豊富に含まれていることで知られている。どちらも強力な幻覚誘発剤だ」

コワルスキが歩み寄ってきた。「つまり、アフリカ版のマジックマッシュルームってことか？」大男はまわりをじろじろ見た。「俺たちに必要だとは思わないな。もうハイになった気分だ。アリスの不思議の国に入り込んだみたいだぜ」

ベンジーは周囲を見回した。不安のせいか話が止まらない。「数年前に世界最古のキノコの化石がコンゴ民主共和国の、ここからそれほど遠くないところで発見されたことは知ってた？」

　グレイが反応して顔を向けた。

　コワルスキは肩をすくめただけだ。

　ベンジーは首を縦に振った。「化石は約八億年前のものと推定された。古代の菌類は原始の土壌を形成するうえで重要な役割を担ったと考えられている。最初に植物が、続いて動物たちが陸地にコロニーを形成する土台を築いたということなんだ」グレイの方を見る。「事実、世界最古の生物はあなたの国のオレゴン州にある。学名アルミラリア・オストヤエ。オニナラタケだ。樹齢は推定で八千年。菌糸のネットワークは面積にして七・五平方キロメートルに及び、それが一つの有機体を形成している。重量は三万五千トン。世界最大の生物でもある」

　ベンジーはおしゃべりが止まらなくなっていることに気づき、どうにか口を閉じた。自閉スペクトラム症のためにハイパーフォーカスの状態に陥りやすく、一つの話題に執着してしまう。もっとも、今の内容がまったくの無駄話とは言い切れないかもしれなかった。チームがここを訪れた目的はこれまでに類のないウイルスの発生源を探し出すことで、そのウイルスはＤＮＡを操作できるばかりか、進化の方向性を変える力すらも持っていると思われる。

　もしかすると、そんな細かい知識が重要になるかもしれない。

別の話題についてのベンジーの予想は正しかった。

一行は通路の上に架かる高い石のアーチに近づいた。これまで目にしてきた何百本もの石柱は本当に古代のアーチの名残だったのだ。

盆地の底を先に進むにつれて、足もとの砂利が複雑な模様にはめ込まれた平らな丸石に変わった。周囲の大木の根が突き出ている箇所があるものの、本来の用途は明らかだった。

〈ここは古代の石畳の道だ〉

ベンジーは下をくぐりながらアーチを観察した。荒削りの煉瓦は年月を経て黒ずんでいて、びっしりと苔に覆われているが、その中の輝きがふと目に留まった。アーチの中央に位置しているのは石でできた煉瓦ではない。自分を抑えることができず、ベンジーはグレイの手をつかんで懐中電灯を上に向けさせた。

コワルスキもそれに気づき、感心した様子で口笛を鳴らした。

大きな楔《くさび》石としてはめ込まれているのは金だ。

ベンジーは後ろを振り返り、ここに来るまでに目にした何百本もの石柱を思い返した。黄金をはめ込んだ石のアーチが連なる道の価値を計算しようと試みる。これはプレスター・ジョンの富の証拠であり、さらにはソロモン王の金鉱の伝説とも関連があるのだろうか？

ベンジーたちが遅れていることに気づき、ティエンデが振り返った。松明の明かりを背にしてその姿が浮かび上がり、黄金の王冠が明るく輝いている。「ここがそうだ」ティエンデが告げた。

午前八時三分

グレイは仲間たちとともに急いで近づいた。

ティエンデは道が二股に分かれる地点に立っていた。そこから先は二本の道が通じている。老人は右側の道を選んだ。その後を追いながら、グレイはもう一方の道の奥に視線を向けた。道の先は暗闇に通じているが、グレイはそのはるか向こうにかすかな輝きが見えたような気がした。幻覚かもしれない。グレイは目をこすり、光源を突き止めようとした。だが、ティエンデとモリンボの後を追ううちに光はたちまち消えてしまった。

グレイは前方に注意を戻した。目的地までの距離はそれほどなかった。道は百メートルほど先の断崖で終わっていた。ジャングルが断崖面のすぐ手前にまで迫っていて、完全に覆い隠していたので、いきなり目の前に岩の壁が出現したように感じられる。崖の表面は濡れた苔が密生していて、キノコなどの菌類が繁茂する土台を形成していた。

周囲を見回したグレイは、二股に分かれてカーブした道が盆地を取り囲む断崖に突き当たったのだということに気づいた。高い岩の壁が左右に広がっていて、その先は暗がりに隠れて見えない。途切れることなくはるか遠くまで続いていることは間違いなさそうだ。なぜティエンデがここに連れてきたのか理解できず、グレイは眉間にしわを寄せた。

老人もグレイの疑問を察したに違いない。王冠を外して手に持ち、寂しげな表情でじっと見つめる。「私はウトト・ワ・マイシャの、ムフパ・ウファルメの最後の王だ」ティエンデが再び王冠をかぶった。「それが私の重荷。私が果たさなければならない償い」

グレイには理解できなかった。

ティエンデがモリンボに向かってうなずくと、ピグミーの長老はもう一本の松明を持つ男性に話しかけた。指示を受けた男性は断崖に向かって急いで走った。言われた作業をすぐに終わらせたいと思っているらしいのは明らかだった。ほかのハンターたちも数人が再び姿を現したものの、誰一人としてそれ以上は近づこうとしない。ツチオオカミたちも断崖から距離を置いたままだ。

ファラジがグレイの袖をつかみ、強く引っ張った。少年が指差しているのは左の方角で、キノコが固まって生えているあたりだ。グレイは何が少年の注意を引いたのかわからず、懐中電灯の光をそちらに向けた。ようやく青白いキノコの間に白い輝きが見えることに気づく。

「ムフパ」ファラジが警告した。

〈骨……〉

懐中電灯の光を反射して輝いているのは頭蓋骨だった。そこに近づいたグレイは、キノコの間に埋もれた人骨を発見した。

ベンジーがあっと息をのんだが、若者が見ているのは正面の断崖の方だった。さっきのピグミーが走って戻ってくるが、松明は手に持っていない。男性はそのままグレイの横を駆け抜け、仲間たちのもとに向かった。

断崖の内部で炎が赤々と輝いていた。グレイが見ているうちに炎は断崖の外側と内側の溝に沿って瞬く間に広がり、ひときわ大きく燃え上がったかと思うと、さらにその先にも延びていく。グレイは細い溝に満たした油が火を燃やしているのだろうと思った。

炎が広がるにつれて苔やキノコの陰に隠れていた真実が明らかになった。切り立った断崖のように見えたものは、岩盤を削ってできた古代都市だったのだ。炎が上に高く、そして左右に広く伝うと、都市の規模があらわになった。十階建ての建物に匹敵する高さがあり、左右ははるか先にまで続いている。

炎の明かりはグレイにもう一つの勘違いを教えた。古代の都市はただの岩を削ってできたのではない。その表面はきらめき、赤みを帯びた輝きを放っている。グレイは一歩後ずさりをすると、ここに隠されていたものの全貌《ぜんぼう》を把握しようとした。都市は巨大な金の鉱脈を採掘してできたものだったのだ。

コワルスキが声にならない声をあげた。炎の明かりを浴びて輝くその顔には物欲しそうな表情が浮かんでいる。グレイは大男を責められなかった。自分も湧き上がる欲望を懸命に抑えつけなければならなかった。目の前に存在している分だけで複数の国の財政がまかなえるはずだ。ここには計り知れない規模の富がある。

ベンジーが断崖の上の方を指差した。「あれはひょっとしてそうなのかな?」

さらに高いところまで達した炎が都市の上で光り輝く黄金の十字架を浮かび上がらせていた。グレイはこの場所でのその存在の意味を考えた。あの形は偶然なのだろうか? それとも、ここに帝国を築いたとされるキリスト教徒の王、プレスター・ジョンの伝説が事実だということの裏付けに当たるのだろうか?

残念ながら、そのことを確かめる術はなかった。

ティエンデがグレイたちの注目に気づいた。「シェパード牧師も失われた王国がもはや繁栄していないことを知り、同じように落胆した。今、君たちが見ているように、人は誰もおらず、過去の亡霊たちの骨だけしか残っていなかった」

そう言われて初めて、グレイは断崖面の下にあたかも波で打ち寄せられたかのように人骨が連なっていることに気づいた。周囲に目を向けると、頭蓋骨をはじめとして肋骨《ろっこつ》、脚の骨、手のひらの骨などが数多く散らばっている。年月を経て黄ばんだ骨もあれば、まだ真っ白な骨もある。そう思って改めて見回すと、あちこちに骨の姿が浮かび上がってきた。広くジャングル全体に散乱している。何百年分もの落ち葉が腐った下にもさらなる骨が埋もれていることだろう。

〈ここが呪われた場所だと見なされたのも当然だ〉

ピグミーたちですらも距離を置いている。

「何十年もかけて」ティエンデが口を開いた。「私は遺骨を数えようと試みた。五万に達したところで数えるのをやめた」

「いったいここで何が起きたんですか？」ベンジーが訊ねた。

「シェパード牧師は、我々が目にしているのはプレスター・ジョンの王国の変わり果てた姿だと信じていた。モリンボとは長きにわたって話をした。王国が滅んだのは彼が生まれる前のことだが、ピグミーはその当時のことを語り継いできた。私はそうやって聞き取った歴史をつなぎ合わせようと努めた。私のわかる範囲で答えると、六世紀か七世紀前、王国は石弓や槍や戦槌《せんつい》を手にした侵入者たちによって倒されたということだ」

ティエンデは杖をジャングルの方に向けた。「金属製の矢、折れた槍のかけら、錆びた鎖帷子《くさりかたびら》などが見つかっているので、その物語は事実なのだろう。鎧《よろい》の紋章から判断すると、襲ってきたのはポルトガルの征服者たちで、プレスター・ジョンの黄金を探していたのではないかと思う」

グレイはベイリー神父から聞いたポルトガル人の探検家たちの話を思い出した。十五世紀にアフリカから帰国した彼らは、プレスター・ジョンの王国を発見したと主張していたということだった。本当に見つけたのかもしれないが、無事に帰国できたのはそのうちのごく一部だけだったようだ。

ティエンデは目の前に広がる大量の骨を見渡しながら眉をひそめた。「しかし、ポルトガル人たちがここで発見し、相手にしなければならなかったのは、王国だけではなかった。彼らははるか昔から眠っていたものを目覚めさせてしまったのだ。差し出されなかったものまでも奪おうとし、その報いを受けた。そのような無礼を働いたために、今の世界を脅かしているのと同じ病に苦しむことになり、生気を失った存在と化してしまったのだ」

グレイはポルトガル人の征服者たちが病に倒れていく様子を想像した。

〈道理で探検家たちがほとんど戻ってこなかったわけだ〉

ティエンデの話は続いている。「だが、もはや取り返しのつかない状況になってしまっていた。王国は大きな打撃を受け、立ち直ることはできなかった」

ベンジーがモリンボを顎でしゃくった。「あの人たちは？」

「ああ、彼の部族はこの盆地に何千年も前から暮らしている。プレスター・ジョンの王国よりもはるかに昔からだ。彼らは将来の王とその配下の人たちに、この地で自然と共生するための方法を教えた。プレスター・ジョンに最初のツチオオカミを贈ったのも彼らだ。すべての王国の例に漏れずに彼の王国が滅んだ後も、モリンボの部族の人々はこの地にとどまり、それまでと同じように生活してきた」

ティエンデは年老いたハンターを見て悲しそうな笑みを浮かべた。「ピグミーの人々の祖先はここで、この盆地で命を授かったのではないか、私はそのように信じるに至った。おそらく彼女によって育まれ、彼女の恩寵《おんちょう》を受けた後、やがて外の世界に広がっていき、自分たちの起源を忘れてしまったのだと」

グレイはジャッカルをはじめとする変異した動物たちを思い浮かべた。ここにいるピグミーたちも同じように遺伝子のレベルで操作された結果、変化したのだろうか？　信じられないほどの長寿だとされ、病気への抵抗力がある理由はそれなのだろうか？　グレイの頭の中でいくつもの疑問が浮かんだが、ある一つの謎がどうしても気にかかった。

「ティエンデ、あなたは誰の話をしているんですか？」グレイは訊ねた。「誰が彼らを育んだと考えているんですか？」

ティエンデの耳にはその質問が届かなかったらしく、古代都市に向かって歩き始めた。モリンボとハンターたちはその後を追おうとしない。「君に知っておいてもらいたい歴史の話がもう一つある」

グレイは老人に追いつこうと急いだ。「何の歴史ですか？」

ティエンデが振り返った。「私自身の歴史だ」

一行は炎に照らされた都市の外れに向かった。かなりの熱が伝わってくる。炎のまぶしさが目に突き刺さるようだ。ようやくティエンデが石畳の道の外に出た。キノコをかき分けるようにして進んでいく。

コワルスキがホコリタケを手で払うと、周囲に大量の胞子が飛び散った。大男は咳き込んだり唾を吐いたりしながら脇に移動した。「毒が含まれていなければいいんだがな」

ベンジーはホコリタケの横を通りながら顔を近づけ、入念に観察している。

コワルスキが若者に確認を求めたが、ベンジーは体を起こすと肩をすくめた。種を特定できなかったようだ。

コワルスキは顔をしかめてその場を離れた。「このジャングルはどうしても俺を殺したいみたいだな」

ティエンデは少し先まで進んだ後、杖に体を預けて立ち止まった。周囲には土に半ば埋まった死体がいくつも転がっている。死体はミイラ化していて、体からキノコが生えていた。ほかと比べるともっと最近になってこの墓場に加わった死体なのは間違いない。まだ胸に槍が刺さったままの死体もあった。

「彼らは何者ですか？」グレイは訊ねた。

ティエンデが杖を持ち上げ、その先端である死体を、続いて別の死体を指し示した。「コラールとレミー。ベルギー人の兵士たちだ。彼らは黄金を奪おうとしてこの地を訪れたが、逆に命を奪われた」今度は別の死体を杖で示した。仰向けの死体は口が開いていて、歯の先端がとがっている。「これはンザレ。多くの村人たちを殺したザッポザップのリーダーで人食い人種のムルンバの弟だ」

ティエンデがグレイの方を見た。「シェパード牧師はベルギー人の兵士たちを探してここにやってきた」

「その時にこの盆地を発見したのですか？」グレイは訊ねた。

「そうだ。だが、すでに手遅れだった。数日の差で間に合わなかった。兵士たちはライフルや斧《おの》で武装した二十人の男たちを引き連れていた。彼らはモリンボの仲間たちの多くを虐殺し、彼らと深い絆で結ばれた数十頭のフィシ・ンドゴも殺した。この時もまた、彼女は怒りに駆られて攻撃し、彼らを毒で眠ったような状態に追いやったのだ」

「ポルトガル人たちと同じように」歴史は繰り返すということをグレイは改めて思い知らされた。

「シェパード牧師と我々の一団が到着した時、ほかの人たちはすでに弱って瀕死《ひんし》の状態にあったのだ」

グレイは目の前の不気味な光景のうちのある一点がティエンデの話と噛み合っていないことに気づいた。「では、あの死体に刺さっている槍は？」

ティエンデが片手の手のひらに視線を落とした。「私は激しい怒りを覚えた。盆地は血にまみれていた。死にゆく者たちの叫び声がこだましていた。私はその声を嫌というほど耳にしたことがあった。数多くの村で耳にしたことがあった。あまりにも多くの村人たちがひどい扱いを受け、無残にも殺されてきたのだ。しかも、そうした死の多くはある一人の男の口から命令が発せられた」

グレイは槍の刺さった死体を見下ろした。キノコの間にライフルが埋もれていて、死体の腰には牛追い用の鞭《むち》が留めてある。「この男は誰なんですか?」

「デプレ大尉だ。彼がこの地域のベルギー人の部隊を率いていた。彼がザッポザップに命じて我々の仲間を殺させ、その死体を食べることも認めた。彼自身も私の仲間の多くを鞭で打ち、その鞭によって多くの人たちが殺された。しかも、彼は笑い声をあげながら鞭を振るっていた」

「だから、あなたは彼を殺した」

「自分を抑えることができなかった。すでに大尉の目はうつろだったが、私は誰に命を奪われようとしているのか、彼にしっかりと見届けてもらいたかった。クバ族の王の息子の手で殺されるのだということを知ってほしかった」

ファラジが驚きで目を大きく見開き、ティエンデの方を向いた。「あなたは……あなたはシェパード牧師の時代の王、コト・アムウィーキーの息子」

ティエンデは頭を垂れ、片手で王冠に触れた。「その息子が、今では国民のいない王国を統治している」

グレイはここにとどまっている理由についてティエンデが述べた言葉を思い出した。「償い……」

「シェパード牧師は怒り、失望された。私は奪う権利を持たない命を奪ってしまったのだ。大尉には死が迫っていたのに、それでも私は彼の命を奪った。牧師はそれが大罪に当たると言った――我々の一団が罰せられたのはそのせいなのかもしれない。あるいは、まだ空気中に病気が残っていただけなのかもしれない」

「あなたたちも全員、感染したんですね？」ベンジーが確認した。

「我々は死んでもおかしくなかったが、シェパード牧師が命乞いをした。ここで犯した罪の赦《ゆる》しを求めたのだ。彼の心の清らかさは救済に値すると見なされ、我々は救われた」

「治療薬を与えられたのですか？」グレイは期待がふくらむのを感じながら訊ねた。

「彼女は慈悲深かった。その後、シェパード牧師は私に務めを与え、ここに残って世界が再び救済を必要とする時に備えさせた。私は見張りとして、守護者として、とどまることになったのだ。モリンボの人々もその務めを受け入れた。デプレ大尉とその部下たちの手で傷ついた多くの仲間が、シェパード牧師の手当てのおかげで助かったことも大きかったのではないかな。また、彼女も私を受け入れ、再び必要とされる時が訪れるまでの年月を与えてくれた」

グレイは歴史の授業をこのくらいで終わりにしてほしいと思った。ここに治療薬があるとして、誰が持っているのかはすでに予想がついている。「もう十分です」グレイははっきりと伝えた。「あなたは誰の話をしているんですか？」

ティエンデは黄金の都市に背を向けた。燃料を使い果たしたのか、都市の炎はすでに消えかけている。老人は二股の分岐点の方を指差しながら歩き始めた。「彼女は君たちを待っている」ティエンデが言った。「ここから先、君たちにその価値があるかどうか、判断するのは彼女だ」

午前八時十七分

ベンジーはほかの人たちに遅れまいとして石畳の道を小走りに急いだ。ティエンデは二股のところまで戻り、すでにもう一方の道を歩き始めている。こちら側の道は盆地の中心部に向かって延びていた。歩くうちに暗さが増していくが、そんな風に感じるのはただの気のせいだったのかもしれない。

それでも、歩き続けるうちに前方におぼろげな光が現れた。その光を背景にして浮かび上がる巨大な木の幹が、林冠を支える柱のように連なっている。木々がより高く生育していて、ジャングルも上に上にと伸びていた。

それは木に限った話ではなかった。

幹に沿って菌類が巨大な棚のように広がっていて、中にはその上に車を一台停められそうなほどの大きさのものもある。盆地の底に生えるキノコの傘はコワルスキの頭よりも高い位置にまで達している。その多くは深紅、青、黄などの光も放っていた。この生物発光は燐光《りんこう》と呼ばれ、ルシフェラーゼという発光性の酸化酵素によるものだ。

コワルスキが手の甲で目をこすった。「幻覚剤の影響が出てきたんじゃないのか」

ベンジーも同感だった。「トールキンの中つ国に迷い込んだみたいだ」

コワルスキは小柄なハンターたちに親指を向けた。「そうだな、ホビットもいるし」

ベンジーはため息をつき、首を左右に振った。道まで張り出した大きなキノコの傘に手を伸ばす。指先で傘の下側に触れると光がいちだんと明るくなった。

〈すごい……〉

コワルスキも別のキノコの光るひだで同じことをしようとした。だが、大男が手を触れるとひだの光が消え、キノコが茎を曲げて傘を手から遠ざけた。その動きに驚き、コワルスキは顔をしかめて後ずさりした。

「何だよ……」大男がつぶやいた。

ベンジーも同じように驚いていた。触られると反応したり、光の方に向きを変えたりなど、動く植物がいることは知っている。ジャングルに目を向けると、弱い風が林冠の葉を揺らし、枝も音を立てていた。何度かまばたきをしてから改めて周囲を見回したベンジーは、思わず足がもつれそうになった。片手を前にかざす。

〈風は吹いていない〉

湿気を大量に含んだ空気にはまったく動きがない。ベンジーは木々の動きを観察した。前方に連なる木々の葉が揺れていて、枝もそれと同じ向きに動いている。後ろを振り返ると、ジャングルに動きは見られない。

〈僕たちの動きに反応している。まるで前方に注意を促しているみたいだ〉

森が誰に対して警告を送っているのかと思うと怖くなり、ベンジーはほかの人たちとの距離を詰めた。

グレイも森が目を覚ましつつあるかのような周囲の動きに気づいていた。「今までにこのような動きを見たことはあるのか？」

ベンジーは首を横に振った。「ハエトリソウとタヌキモは葉や捕虫嚢《のう》を閉じて獲物をとらえる。オジギソウは触れられると葉を閉じて垂れ下がる。花もひとりでに開いたり閉じたりする」手で周囲を指し示す。「でも、こんなのは……ウイルスが植物にも感染したのかな。ここで育っている植物も同じように変異しているのかもしれない」

コワルスキが左手の方角を指差した。まるで何匹ものヘビが地面の下で動いているかのように、ローム層の土壌が上下している。地面に裂け目ができたかと思うと、その隙間から地中に穴を掘りながら移動する木のようなものが見えた。

「あれは根だと思う」ベンジーは言った。「あるいは、地下茎みたいなものかも」

ベンジーはその動きを目で追った。何かが根を引っ張っているようにも見える。この先に控える何かが引き戻そうとしているのだ。

「彼女は君たちがここにいることを知っている」ティエンデが伝えた。

ピグミーやその四本足の仲間たちからはこうした動きに驚いている様子がうかがえない。両側のジャングルの中をその動きに合わせて歩き続けている。

ベンジーは周囲の現象を観察した。最初の恐怖に代わって興味が少しずつ頭をもたげてくる。「植物は動きの遅い動物として考えるべきだ、そんな記事を読んだことがある。僕たちとは違って、年単位、百年単位、千年単位というもっと長い時間感覚で活動しているというんだ」

コワルスキが近くを通る自分たちから身をかわすキノコの方を指差した。女性がスカートを引き寄せているかのような動きだ。「あれは十分に速い動きだと思うぞ」

ベンジーはその意見を認めた。「頭に入れておいてほしいのは、植物が受動的な傍観者のような存在ではないということ。むしろ、かなり敏感に反応する。磁気にも、重力にも、太陽の光や星明かりにも、食べようとする昆虫にも、害を与える毒素にも。ある研究によると、イモムシの咀嚼《そしゃく》音を録音して植物の近くで再生したところ、葉はイモムシが嫌がる化学物質を多く生成した。そうした例は植物の世界のどこでも目にすることができる。脅威に対抗したり、あるいは脅威を軽減させたりするための生化学的な数々の反応。一見しただけではわからないかもしれないけれど、植物は反応しているんだよ。縄張り争いをしたり、栄養分や水を求めたり。捕食者を避けたり、獲物をとらえたりもできる。だから、繰り返しになるけれど、植物は動かないとか大人しいとか決めつけない方がいい」

ベンジーはまたしてもハイパーフォーカスな状態に陥り、一つの話題についてのおしゃべりが止まらなくなってしまったことに気づいた。

だが、グレイは話を続けるように促した。「そのいずれかがウイルスと関係している可能性は？　脅威に対するこのジャングルなりの反応なんだろうか？」

ベンジーは肩をすくめたが、推測で話を進めることは一向にかまわなかった。「たぶん。実際に植物はあらゆる種類のウイルスを持っている。でも、そのうちのどれかを武器として使用することがありうるか、という話になるとわからない。自然界には斬新な生存戦略の例がいくらでもあって、特に脅威に対抗する場合にはそのことが当てはまる。それに僕たちももちろん、脅威に該当する。僕たちはありとあらゆる危害を加えてきた。環境汚染、森林伐採、生息環境の無秩序な破壊」

道が急な左への曲がりに差しかかり、会話は途切れた。

ティエンデがそこで立ち止まり、カーブの先に見える木々が密生しているところを杖の先端で指し示した。壁のごとく立ちはだかる木々はジャングルを二分する自然の要塞《ようさい》のように見える。曲がった先の道は障壁を抜けて向こう側に通じている。その隙間から差し込むまばゆい光が石畳を照らしていた。

うっとりするような花の芳香が漂っていた。その中にはより濃厚なにおいも含まれている。理由はわからないものの、ベンジーはその香りに古さを感じた。先史時代の世界が呼気を吐きかけているかのようだ。遺伝子に刷り込まれている何かが反応し、その警告が寒気となって全身を走った。

〈僕たちはここにふさわしくない〉

けれども、もう手遅れだった。引き返すことはできない。

ティエンデの言葉がそれを裏付けた。老人は道を歩き続けるよう促した。「彼女は君たちを待っている」グレイが前を通り過ぎた時、ティエンデは最後の警告を発した。「ただし、心して進むように。値しないと見なされれば、君たちはここから出られなくなるだろう」

24

四月二十五日　中央アフリカ時間午前八時十八分
コンゴ民主共和国　ベルカ島

タッカーはまたしてもド・コスタが私有する島の北端にある倒木の陰にうずくまっていた。ただし、今度は自分とケインだけではない。フランク、モンク、シャルロットがすぐ隣にいた。全員がびしょ濡れで、疲れ切っていて、難破した船の生存者のようだ──あながちそれは間違いではない。タッカーはジャングルで横倒しになったはしけを思い浮かべた。

タッカーたちは夜通しかけて川沿いを進みながらベルカ島まで戻ってきた。その間、ジャングルが常に行く手を遮り、疲労が足を引っ張った。だが、自らの関与の証拠をすべて抹消して姿をくらまそうというド・コスタの企みを絶対に阻止するという強い決意のもと、必死に歩き続けた。

木々の切れ目から見える東の空が鈍い光を放っている。太陽は一時間前に昇ったが、その姿は隠れたままだ。爆発で発生した濃い煙が広がり、一帯を覆っていた。煙は木々の梢《こずえ》の近くにまで垂れ込めていて、油と燃える木のにおいがする。日の出からまだ間もない太陽の光は不気味な濃いオレンジ色に変えられていた。

ありがたいことに、夜明けに島を爆破するというド・コスタの計画が予定より遅れているのは確かだった。タッカーには遅れの理由がわからなかったが、濃い煙が関係しているのではないかと想像した。夜の間に風向きが変わり、風は鉱山から上流方向に吹いていている。空気中に大量の粉塵が含まれているとヘリコプターのエンジンは調子がおかしくなるので、ド・コスタと部下たちは煙がもう少し晴れるまで待っているのだろう。

タッカーは不審に思いながら空を見上げた。そろそろ爆発に対する何らかの反応があってもおかしくない時間だ。だが、マスコミのヘリコプターも飛んでいないし、軍が対応している様子もない。もっとも、鉱山はコンゴのジャングルに何百キロも分け入った場所にあり、しかもそこはド・コスタとその札束が支配しているところだ。あいつは調査をもみ消すための金を持っているし、広がりつつある病気とすでに闘っている貧しい地域にもばらまいているに違いない。

彼を止められるとすれば、タッカーたちしかいなかった。

その事実を受け止め、タッカーは防水性のバッグを開いて武器を配布した。デザートイーグルを自分のホルスターに入れ、モンクには彼がエコンから奪った小型のブローニングを手渡す。続いてシャルロットの方を見ると、スフィンクスS３０００を差し出した。青みがかったスチール製の九ミリ口径は彼女がこの島で死んだ兵士から回収した拳銃だ。

シャルロットが武器に手を伸ばすと、タッカーは拳銃を引っこめた。「ドクター・ジラール、君は本当にここから先も続けるつもりなのか？　森の中に身を隠している方がいいかもしれないぞ」

「誰のためにその方がいいというわけ？」シャルロットはひったくるように武器を奪うとスライドを引き、慣れた手つきで点検した。そして再びスライドを元に戻す。険しい目がタッカーをにらんだ。「その話は川を渡る前にすませたはず。泳いだからって考えが変わるわけじゃないし」

フランクもすでに二挺《ちょう》のＦＮ ＦＡＬバトルライフルの点検を終え、水分をぬぐい取っていた。このライフルはタッカーのバッグに入らなかったのだ。フランクはそのうちの一挺をタッカーの手に押しつけた。「この女性の決心は揺るがないと思うぞ」

タッカーは眉をひそめた。

〈それでも最後の確認が必要だったんだ〉

島を目指して移動中に、タッカーたちは島に上陸せずにヘリコプターで待つンダエのもとに向かうという案を話し合った。しかし、誰もが疲れ切っていたため、そこまでたどり着くには午前中いっぱい、悪くすると午後までかかると予想された。しかも、ＧＰＳが使えない状態では場所を発見できるかどうかも定かではなかった。その頃にはド・コスタはとっくに島を焼き払ってどこかに逃れていて、自らの関与も責任も否定することだろう。そうなったら何ができるというのか？　自分たちの言葉に対して、相手は何十億ドルもの大金を振りかざす。

タッカーには勝負の行方が見えていた。

また、あの男に責任を負わせることはもちろんだが、タッカーたちは島に閉じ込められた罪のない人たちのことも考慮しなければならなかった。この島に残しておいたら無残な死を迎えることになる。患者たちを見捨てることなどできるはずがなかった。

それに加えて、フランクはド・コスタの研究チームが集めたデータを、どこかに持ち去られる前に、そしておそらくは永遠に消されてしまう前に、確保したいとも考えていた。作業を一からやり直すとしたら、少なくとも数週間はかかる。

世界にそれだけの時間は残されていなかった。

話が決まると、タッカーは仲間たちとともに入植地の建物群に向かった。タッカーが先頭に立ち、そのさらに前を歩くケインがタッカーのもう一組の目と耳になる。一行は静かに、だが足早に移動した。人間の見張りにもロボットの見張りにも遭遇しなかった。ド・コスタは島からの退避に備えて全兵力を呼び戻しているに違いない。

森の中を進むうちに朝の空が明るさを増し始めた。期待していたよりも早すぎる。気紛れな風がまたしても向きを変えていた。煙が島から急速に離れていく。

〈もう時間がない〉

叫び声とエンジンの轟音がその思いを裏付けた。その必死な様子から、ド・コスタの一味は一刻も早く島を離れようとしていると思われる。

タッカーは真っ先に森の外れまで到達し、全員に停止を指示した。ケインも近くに寄ってくる。木々の間から垣間見える入植地はタッカーたちにとって最悪の状況を示していた。武装した男たちが忙しく動き回っている。小型の電動式ＡＴＶが施設内を走り回っている。広場では二機のヘリコプターがローターを回転させてエンジンを温めていた。大きい方の機体はドレイパーの攻撃ヘリコプターだ。

だが、タッカーが息をのんだのはそのせいではなかった。

もう一機のヘリコプターにも見覚えがあった。ンダエが操縦していた小型のガゼルだ。タッカーは詳しく調べようとゴーグルの望遠機能を使用した。男たちがガゼルの荷物室に木箱を積み込んでいる。

タッカーは拳を握り締めた。

〈ンダエが俺たちを裏切ったのか？　彼の正体はスパイだったのか？〉

ヘリコプターの周囲を探ったタッカーはエコガードの姿を発見した。ンダエはひざまずいた姿勢で、両手を後ろ手に縛られており、殴られたのか顔面は腫《は》れ上がって出血していた。

タッカーはその光景にはっとすると同時に、一瞬でも彼のことを疑った自分を恥じた。ヘリコプターから逆さまにぶら下がったンダエが、荒れ狂う激流から助けてくれたことを思い出す。

〈もちろん、あいつは裏切り者なんかじゃない〉

ンダエがここにいるのを見たタッカーは、直接ガゼルを目指して進まなかったことに安堵した。敵に遭遇していたかもしれないし、そうでなかったとしてもジャングルで途方に暮れていただろう。

タッカーたちが島から脱出した後、ド・コスタの部下たちはジャングルでＦＡＲＤＣのヘリコプターを発見したに違いない。何が起きたのかを推測しながら、タッカーは罪悪感を覚えた。タッカーがジャングル内のどこかからやってきたと考えたド・コスタは島の周囲の捜索範囲を広げたのだろう。身柄を拘束されたンダエがその後に厳しい尋問を受けたのは明らかだ。殴られた跡はエコガードが殺されずにすんでいる理由でもある。ド・コスタはンダエが知っていることを、誰が彼を送り出したのかを、何としてでも聞き出したいと考えているに違いない。

ただし、ンダエに残された猶予はあまりない。

タッカーはほかの人たちの方を振り返った。この新しい要素を計算に入れて素早く計画を変更する。「フランクと俺はまずンダエを救出し、次にドレイパーを片付ける。その後で攻撃ヘリを確保する」

タッカーはヘルファイアミサイルを使って入植地を破壊するというド・コスタの言葉を思い返した。左右に三基ずつ、計六基のミサイルが、機体側面に突き出た発射ポッドに搭載されている。ドレイパーがヘリの武器を補充したに違いない。島を完全に焼き払うには十分な火力だ。

タッカーはモンクとシャルロットを見た。「君たち二人は計画通り、ケインを連れていくように。病棟の安全を確保するんだ。必要に応じて患者たちを森に移動させる。爆撃が始まったらできるだけ建物から距離を置いてほしい」

モンクが近づき、教会と宿泊施設の間の建物を指差した。「あれが武器庫だ」

タッカーはうなずいた。そこも目標の一つだ。泳いで川を渡る前、モンクは島の施設のおおまかな地図を泥に描いてくれた。囚人として島に監禁されている間に、モンクは武器が保管されている場所を突き止めていたのだ。攻撃を成功させようと思ったら、二挺のライフル、三挺の拳銃、ケインの弾帯にまだ残っている数個の閃光発音筒と手榴弾《しゅりゅう》以上の手持ちが必要だった。ただし、武器庫の中身がすでに持ち出されてしまった可能性はある。

その不安はひとまず忘れて、タッカーは最終的な目的地に視線を向けた。

　広場を挟んで宿泊地の向かい側に軽量コンクリートブロック製の低い建物がある。屋根にアンテナやパラボラアンテナが林立しているので、あそこがこの入植地の通信施設だろう。ただし、無線室を制圧しただけでは意味がない。タッカーはドレイパーが所持する小さなＵＳＢメモリを頭に浮かべた。その中にはこの地域をカバーする妨害電波解除用のコードが含まれている。

〈まずはあれが必要だ〉

　タッカーは前に数歩足を踏み出し、ゴーグルの望遠鏡機能で広場を入念に見回した。ドレイパーの姿は見当たらない。タッカーの視線は宿泊施設に留まった。

〈やつがいるとすればあの中だ〉

　タッカーは仲間たちのもとに戻った。唇をきっと結び、無言で質問を投げかける。〈覚悟はいいか？〉全員からうなずきが返ってくる。続いてタッカーはケインに向かって上半身をかがめ、互いの鼻先をくっつけた。これは何年も前から相棒と行なっている儀式だ。

「最高の仲間は誰だ？」タッカーはささやいた。

　ケインがタッカーの頬をなめる。

〈その通りだ〉

　タッカーはモンクとシャルロットを指差した。「しっかり見張れ」相棒に指示を与える。

　生まれながらに兵士のケインは二人の方に近づいたが、その輝く目はタッカーを見つめたままだ。タッカーの心にふと不安がよぎった。嫌な予感がする。煙でかすんだ不自然な太陽の光のせいかもしれないし、一人と一頭に付きまとうPTSDのせいなのかもしれない。なぜかはわからないが、その瞬間、タッカーの体に震えが走った。

ケインが前に足を一歩踏み出したが、すぐに戻った。

まるで彼もそれを感じたかのように。

残り時間が少なくなりつつある中、タッカーは不安を振り払った。果たさなければならない務めがある。タッカーが右を指差すのに合わせて、モンクとシャルロットがそちら側に向かう。二人は森の中を迂回してかまぼこ型の病棟の裏手を目指す手筈《てはず》になっている。

ケインがほんの少しだけ長くその場にとどまった。目が輝いている――ケインはすぐに背を向け、姿を消した。

「行くぞ」フランクの声でタッカーは我に返った。友人がモンクたちとは反対の方向に歩き出す。

タッカーもその後を追った。左側を回り込み、まずは武器庫に向かう計画だ。それでもなお、タッカーはほかの仲間たちが見えなくなったあたりを振り返った。ゴーグルの片隅に表示されたケインのカメラからの上下に揺れる映像は接続が不安定で、数秒ほど途切れた後、再び流れ始めた。

またしても強い不安がタッカーの体を震わせた。

〈気をつけろよ、相棒〉

午前八時三十二分

シャルロットはモンクから離れないようにしながら森を抜けていた。手には拳銃をしっかりと握り締めている。影が見えたり葉が動いたりするたびに警戒する。空気中には煙が漂い、目がひりひりする。頭痛は激しさを増している。

シャルロットは逆流しかかった胃液を飲み込んだ——正しくは、飲み込もうと試みた。手で喉をさする。舌の奥の感覚が失われていた。指先もどことなく冷たい感じだ。拳銃をきつく握り締めている理由はそこにあった。シャルロットは夜の間に明らかになりつつあった真実を受け止め切れずにいた。

〈私は感染している〉

シャルロットは誰にも伝えなかった。作戦から外されたくなかったからだ。そんな事態になることだけは避けたかった。自分の命が尽きるまで、患者たちを守るつもりだった。ディサンカとの約束を思い返す。男の子の可愛らしい顔立ちが、小さくすぼめたピンク色の唇が脳裏に浮かぶ。

「もうすぐだ」モンクが言った。「ケインの様子は？」

シャルロットはトランシーバーを持ち上げた。モンクは残された手が拳銃でふさがっているので、通信機器を持つことができない。小さな画面には二本のヤシの木の間から見た光景が映っていて、シダの葉がその一部を遮っている。「ケインは立ち止まっている。今のところ、病棟の裏手には誰もいないみたい」

「だったら行くぞ」モンクが森の外れまでの残りの距離を小走りに移動した。

ケインは茂みの下に身を潜めていた。その視線は窓がないかまぼこ型の建物の裏手をじっと見つめたままだ。入口は表側にある。

シャルロットとモンクは犬の傍らにうずくまった。そこから建物までの距離は十メートルほど、その間に身を隠せそうな場所はない。地面にはごみや瓦礫《がれき》が散乱していて、医療廃棄物を示す赤い袋もある。シャルロットとモンクは顔を見合わせ、建物までの距離を詰めようと身構えた。

シャルロットが森の外に出ようとした時、建物の向こう側から叫び声があがった。いらだった様子のぶっきらぼうな声の主はンゴイだ。

「早くしろ、ぐずぐずするな！　時間がないんだぞ！」

その直後、白衣姿の一団が視界に入ってきた。そのうちの二人はストレッチャーを押していて、その上にはコンピューターやファイルボックスが乱雑に積まれている。ガタガタと音を立てながら木製の通路を進むうちに、箱の一つがストレッチャーから地面に落下し、紙が飛び散った。

「気をつけろ！」ンゴイがわめいた。「私の研究成果だぞ！」

シャルロットは心の中で医長を罵《ののし》った。この期に及んでも自分の研究のことしか頭にないようだ。技師の一人があわてて書類を箱に戻し、ほかの人たちの後を追った。

「俺たちも時間がない」モンクが言った。

シャルロットはうなずいた。それでも、ンゴイたちの姿が見えなくなるまで待たなければならなかった。再び周囲が静かになると、二人はごみが散らばった中を横切り始めた。ケインもすぐ隣を進む。建物までたどり着くと、あわただしい動きのある中央広場とは逆の側を回り込んで正面を目指した。

シャルロットは建物の角で立ち止まり、ケージに入った一個の電球に照らされた入口の様子を観察した。呼吸を三回繰り返す間、そこで待機する。病棟からはほかに誰も出てこない。その奥にある黒っぽい建物は死体安置所と病理研究室を兼ねている。シャルロットはその中に死体が山積みになっている様子を想像した。

小さく体を震わせながら、病棟に注意を戻す。

〈あの中でまだ誰か生きているの？　それとも、あそこも新たな死体安置所になってしまったの？〉

シャルロットは聞き耳を立て、発電機の動作音以外の音を聞き取ろうとした。近くにある小さな窓からは明かりが漏れているものの、中に動きは見られない。

モンクが再び移動を開始した。シャルロットとケインもその後に続く。窓の位置よりも姿勢を落として入口を目指す。あと数歩というところで一発の大きな銃声が鳴り響き、全員がぴたりと動きを止めた。銃声は病棟の中から聞こえた。続いてもう一発。さらにもう一発。

シャルロットには銃声の持つ意味が一つしか思い当たらなかった。

研究者たちの脱出が終わったのだから……

〈誰かが患者たちを殺している〉

午前八時三十四分

フランクは絶望で頭を振るばかりだった。両手は武器庫の入口の鉄格子を握り締めている。中身は持ち出された後だった。コンクリートの床に銃弾が散らばっているほかはもぬけの殻だ。

「道理で見張りがいないわけだ」フランクはつぶやいた。タッカーの方を見ると、ライフルを肩に掛けたまま顔を下に向けている。「次はどうする？」

タッカーは隣に建つ石造りの教会を顎でしゃくった。二人は広場の喧騒《けんそう》の中をできるだけ目立たないように移動した。ケブラーの防弾着に灰色がかった緑色のヘルメットという、鉱山で奪い取った戦闘用の装備を身に着けたままだ。ドレイパーの部下たちの装備とは同じではないものの、退避という混乱した状況の中ではこれでも十分に通用する。

教会脇の人目につかない影の中に入り込むと、タッカーがンダエを指差した。エコガードはまだ二機のヘリコプターの間でひざまずいたままだ。背中側に回した両手は結束バンドで縛られている。頭を垂れた姿勢で、顎と折れた鼻から血が滴り落ちていた。

「彼を救出しなければならない」タッカーが言った。「危険が及ばない場所まで連れていかないと。それにあの攻撃ヘリを近くから見ておく必要もある。ドレイパーが機内にいないことを確かめておかないとな」

二人はいまだに大尉の姿を見つけられずにいた。フランクはヘリコプターに向かって顔をしかめた。エンジン音が胸を震わせる。小型のガゼルと比較すると、巨大なライオンが攻撃を仕掛けようと身構えているように見える。機種はロシア製の古いＭｉ－24「ハインド」で、「空飛ぶ戦車」の異名を持つ。機内への装備の積み込みが続けられていた。

フランクは歯を食いしばった。「計画は？」

タッカーが背筋を伸ばし、ンダエに向かって歩き始めた。ライフルを持ったコンゴ人の兵士が一人、エコガードを見張っている。「ここの人間のふりをする」

フランクは急いで後を追い、隣に並んだ。「だったら会話はこっちに任せろ。俺の方が肌の色は合っている」フランクは自分の顔を指差した。「それにおまえのフランス語なら聞いたことがある。発音しただけで怪しまれるぞ。文法は殺されるレベルだ」

「高校時代のフランス語の先生にも同じことを言われたよ」

フランクは前に進み出た。「その真っ白な顔を見られないようにしておけ」

二人は大切な任務を帯びているという足取りで歩いた。箱が山積みになった手押し車の扱いに苦労している兵士を、タッカーが肘で押しのける。フランクもタッカーの自信満々な様子を見習おうとしたものの、冷汗が背筋を流れ落ちるし、指で何度もライフルを握り直さなければならなかった。二人はあわただしく動き回る兵士たちをすり抜けたりよけたりしながら、ンダエと見張りのもとに近づいた。見張りの兵士は二人の接近を気に留める様子もなく、ずっとタバコを吹かし続けている。

フランクがンダエを指差すまで、見張りは二人に見向きもしなかった。フランクは咳払いをしてから、ヘリコプターのエンジン音でかき消されないように大声で伝えた。「ドレイパー大尉の指示で囚人を引き取りにきた。こいつはもう用済みで、始末するようにとのことだ」

見張りがようやく反応を見せ、タバコを口から離すと声を聞き取ろうと体を傾けた。「大尉はこの男を一緒に連れていき、尋問を続けることを望んでいると思っていたんだが」

「この男は……もはや重要ではなくなった」

見張りはフランクの声のためらいに気づいたらしく、見覚えのないやつだなとでも言うかのように険しい目つきで顔を見つめた。

フランクは横を向き、相手の視線から逃れようとした。漠然と後方を指し示す。「ドレイパー大尉に確認してもいいぞ。ただし、彼は機嫌が悪い。いつにも増して」

見張りがまいったなといった様子で首を左右に振った。部下が上司に対して抱く思いはどの世界でも共通だ。

タッカーが別の角度から相手を攻めた。「おまえのタバコ、一本くれないか?」ぎりぎり合格点といったレベルのフランス語だ。幸いにも、ヘリコプターのエンジン音と回転するローターの音がひどいアクセントを隠してくれた。

見張りが一歩後ずさりした。支給される数が限られている品物を手放したくないと思っているのは明らかだ。タッカーは要求が断られることを想定していたに違いない。

その予想は的中し、見張りは手を振って二人を追い払った。「こいつを連れてさっさとどこかに行ってくれ」

ほかの邪魔が入る前にタッカーとフランクはンダエの肩をつかみ、乱暴に引っ張って立たせた。見張りとやり取りを交わしている間、エコガードはずっとうなだれたままで、もう助からないとあきらめてしまっていたようだ。殴られて意識が朦朧とした状態だったのか、二人に引っ張り上げられたンダエはしっかりと立つこともできずにいる。

二人は半ば引きずるようにしながらンダエをヘリコプターの近くから移動させた。十分に距離を置いてから、タッカーがエコガードの耳に顔を近づける。「この前は川で俺を助けてくれてありがとう。やっとお返しができたよ」

ンダエがびくっとしてタッカーの方に顔を向けた。声の主に気づき、その体に驚きが走る。足取りがより安定した。思いがけない展開に、うつろだった視線も焦点が合ってきた。

「タッカー……」

「一緒にここから脱出するぞ」二人は教会の建物の陰を目指してさらに数メートル、ンダエを抱えて移動した。そこまでたどり着く前に、タッカーがンダエをフランクに押しつけた。「彼をモンクとシャルロットのもとに向かわせてくれ。俺は攻撃ヘリの様子をうかがってくる。ドレイパーが乗っていないことを確認しないとな。教会の裏で落ち合おう」

タッカーはヘルメットを目深《まぶか》にかぶって顔をさらに隠すと、空飛ぶ戦車の周囲の動きがあわただしいところに向かった。

フランクは広場に背を向け、ンダエを連れて教会の裏手に急いだ。そこで手首を縛る結束バンドを切断してやってから、施設内の研究所を構成するかまぼこ型の建物群を指差した。木々の間から見えるいちばん大きな建物を示す。

「モンクとシャルロット――ドクター・ジラールは、あの中にいる患者たちの安全を確保しようとしているところだ」

ンダエは突然の状況の変化と、意外な人物が計画に参加していることをすぐには理解できないようだった。「ドクトゥール・ジラール……どうしてそんなことになっているんだ？」

説明している時間がなかったので、フランクはンダエを木々の方に押した。「向こうで合流する。急いでくれ。ただし、気をつけろよ」

ンダエは最初こそふらついていたものの、すぐにしっかりとした足取りになって森の中に姿を消した。

フランクはゆっくりと建物の裏手から側面に戻った。広場の方角に注意を戻す。大勢の兵士が動き回る中にタッカーの姿を探すが、見当たらない。そのままどんどん時間が経過していく――あるいは、そんな気がしただけなのかもしれない。

〈いったいどこに――〉

後ろから手が肩をつかんだ。

フランクはびくっとして振り返った。そこにいたのはタッカーで、顔面は汗でびっしょり濡れ、目はらんらんと輝いている。反対側から教会の裏手を回り込み、背後から近づいてきたのだろう。

タッカーが首を横に振った。「あそこにはいない」

フランクはため息をついた。

〈つまり、ドレイパーはまだ所在不明ということか〉

タッカーが後ろを向き、背後に隠していたものを持ち上げた。「だが、こいつを見つけた」その顔には不敵な笑みが浮かんでいる。

タッカーが手にしているのはロケットランチャーで、ロケット弾が一発、すでに装塡済みだった。タッカーが何に対してその武器を使おうと目論《もくろ》んでいるのか、フランクにはお見通しだった。二人の目が攻撃ヘリコプターに向けられる。

「まだあいつを破壊したらだめだ」フランクは注意した。「ドレイパーのやつを見つけ出してコードキーを手に入れるまでは。敵は俺たちがここにいることを知らない。だが、あのヘリを燃やせば連中はここの警戒をより厳重にするだろうから、俺たちのケツにも火がつくことになるぞ」

「そんなことは考えていない」タッカーが宿泊施設の建物を顎でしゃくった。「ドレイパーはあの中にいるはずだ。ボスと退避計画に関して最後の詰めの話をしているんだろう。やつの不意を突き、例のUSBメモリを奪う――ヘリコプターのことを考えるのはその後だ」

二人は空っぽの武器庫の裏手を回り込みながら宿泊施設に接近した。正面のポーチに通じる階段の下まで来ると、タッカーはその脇の草むらに移動した。ロケットランチャーをその中に、ただしすぐに取り出せるようにそれほど深くないところに隠す。

タッカーが体を起こした。「ひとまずはここに隠しておこう。必要になる時に備えて」

フランクはうなずき、タッカーを階段の方に押した。一刻も早く扉をくぐり抜け、建物内に姿を消すのが安全だ。タッカーも同じ考えらしく、階段を駆け上がっていく。

二人がポーチに達するよりも早く、正面の扉が勢いよく開いた。

見覚えのある人物が宿泊施設の中から姿を現した。二人の兵士を従えている。

ドレイパーだ。

相手の視線が前を向いていた二人の顔にすぐさま留まった。即座にフランクのことを認識する。ドレイパーはまったく躊躇《ちゅうちょ》することなく、ホルスターから拳銃を引き抜いた。

あまりにも素早い動作に目が追いつかない。

タッカーもライフルを構えたが、わずかに遅かった。

ドレイパーが発砲する。

タッカーが胸を撃たれ、衝撃で体が後ろに吹き飛んだ。そのまま階段の下まで飛ばされる。

ドレイパーが銃口をフランクの頭に向けた。フランクは両手を上げることしかできなかった。二人の兵士が靴音を響かせて階段を駆け下り、苦しそうにあえぎながら上半身を起こしたタッカーにライフルの狙いを定めた。タッカーがまだ生きているのは防弾着のおかげだ。

ドレイパーがポーチの端までやってきて、上からフランクをにらみつけた。「よく戻ってきたな、ドクター・ウィテカー」

午前八時三十八分

病棟内でまた新たにこもった銃声が鳴り響いた。

モンクは歯を食いしばり、最悪の事態を覚悟した。

〈何てやつらだ……〉

モンクは入口に急いだが、その手前で立ち止まり、手のひらを向けてシャルロットを制止した。「ケインと一緒に待て」小声で指示を出す。

シャルロットの目からは激しい怒りが見て取れる。それと強い決意も。女性はモンクのすぐ後ろまで来ると九ミリ口径の銃を構えた。下がっているつもりなど毛頭ないようだ。

モンクは別の仲間がもっと従順なことを祈った。「残って見張れ」ケインに指示を与え、タッカーから教わった手の動きで命令をはっきりと伝える。

ベルジアン・マリノアは壁に身を寄せ、その場にうずくまった。

その反応に満足すると、モンクは扉に忍び寄り、シャルロットを振り返った。「姿勢を低く。俺が先に入る」

ばね式の扉を引き開けた時のきしむ音は、新たな銃声でかき消された。姿勢を落として前室に駆け込む。モンクは病室内を見渡せるのぞき窓に注意しながら移動した。窓の下に身を隠すためには這うようにして進まなければならない。密閉された前室内をざっと見回すと、ガウンやマスクなどの防護具のほとんどはすでに運び出された後だった。だが、そのことが問題になるわけでもなかった。隔離体制はすでに破綻《はたん》している。前室と病室を仕切る扉も一方の蝶番が外れ、斜めに傾いていた。

シャルロットが手のひらを壁に当て、武器を顎のすぐ下で抱えてモンクの隣に近づいた。その背後で扉が静かに閉まると同時に、再び発砲音が鳴り響いた。

モンクは少しだけ体を持ち上げ、窓の奥をのぞいた。

内部は嵐が吹き抜けたかのような状態になっていた。手押し車がひっくり返っている。キャビネットの引き出しが外され、無造作に積み上げてある。床に散らばる割れたガラス製のピペットやフラスコは、急いで退避する際に踏みつけられたのだろう。

ただし、すべてが運び出されたわけではなかった。

簡易ベッドにはまだ患者たちが寝かされていた。防弾着にヘルメット姿の人物が部屋の中央に立っている。手には銃口から煙を噴く拳銃が握られていた。モンクはその人物が誰だか気づき、顔をしかめた。〈エコンだ〉中尉は隣のベッドに近づき、年老いた男性に拳銃を向けた。男性はまばたき一つせずに天井を見つめているだけで、脅威を認識できていない。銃声とともに男性の頭部が後方に動き、枕に血しぶきが飛び散った。

その奥にあるほかのベッドも同じように血まみれの状態だった。手前側に視線を移すと、六、七人の患者たちが死刑執行人を恐怖の眼差しで見つめながら、ベッドの上で震えている。

シャルロットがあっと声をあげ、モンクを押しのけようとする。だが、モンクは腕を伸ばして制止した。あと少しだけ、状況をしっかりと把握する必要がある。どうやらエコンは病状がより進行し、ほぼ昏睡《こんすい》状態に陥って動けずにいる患者たちから殺害しているらしい。サディスティックな趣味に基づいて順番を選んでいるに違いなく、程度の違いこそあるもののまだ反応が見られる残った患者たちの怯《おび》えた様子を楽しんでいるのだ。十代の少年が顔を手で覆って泣きじゃくっている。ほかの患者たちはシーツを顎まで引き上げ、きつく握り締めている。唇が動いているのは祈りを捧げているのか、それとも慈悲を求めているのか。母親が一人、自分の体を盾にして赤ん坊を守ろうとしている。

出口に向かって逃げようとした患者もいたようだ。若い女性がうつ伏せに倒れていた。片方の膝を撃ち抜かれていて、こちら側を向いた顔には大きな射出口がある。

エコンが隣のベッドに移動した。まだ若い母親は相手に背を向け、何とかして赤ん坊を守ろうとしている。

モンクが制止するよりも早く、シャルロットが反応した。立ち上がって窓越しに発砲する。銃弾はアクリルガラスを貫通したが、その際に狙いがずれてしまった。エコンが軽い身のこなしでベッドの陰に隠れた。その冷たい表情はまったく変わらない。エコンは女性の髪の毛をつかみ、その体を盾代わりにした。

「ディサンカ……」シャルロットがうめいた。

モンクは舌打ちをしながら前室から飛び出した。体を投げ出し、割れたガラスや機材の残骸が散らばる床の上を横向きの姿勢で滑っていく。片手を伸ばし、エコンに向かって発砲した――命中させることが目的ではなく、女性から引き離すことができればとの狙いだ。

その策は失敗した。

エコンはまだ熱を持っているはずの銃口を女性の後頭部に押しつけ、その体を下に引きずった。女性の耳元で何かささやいている。

モンクは床を転がり、横倒しになったキャビネットの陰に飛び込んだ。そこに身を隠し、どうすることもできないもどかしさに歯を食いしばる。エコンのささやき声は身柄を拘束した女性に向けた脅し文句ではない。モンクは中尉の顎にマイクがあることを見逃さなかった。

〈あいつは無線で応援を要請した〉

シャルロットは前室の扉の陰にうずくまっていた。詫《わ》びるような視線を向けてくるが、モンクは彼女を責められなかった。あれは罪のない患者を守ろうという本能的な行動だったのだ。今も患者の女性——ディサンカは赤ん坊を胸に抱き締め、その小さな頭を手のひらでしっかり支えている。

「行け」モンクはシャルロットに呼びかけた。今ならまだ病棟から外に出て、ケインと一緒に森の中に身を潜めることができる。

シャルロットは首を横に振り、その指示を拒んだ。

「ほかの人たちのところに行け」モンクは強い口調で繰り返した。「ここは俺が何とかするから」

シャルロットが大きく息をのんだ。その目には苦悩が浮かんでいる。罪悪感を見せながらも、シャルロットは低い姿勢のまま扉の方に戻っていった。彼女がその手前までたどり着いた時、イヤホンからケインのうなり声が聞こえた。

「待て」モンクは注意した。

ケインが装着したマイクを通じて、板を踏みしめる靴音が聞こえる——その直後にライフルの発砲音も。銃弾が建物の外壁に跳ね返る。数発が扉を貫通したため、シャルロットは床に腹這《はらば》いになった。

イヤホンから悲鳴のようなケインの鳴き声が聞こえた。

モンクは顔をしかめた。

床に突っ伏した姿勢のまま、シャルロットがモンクの方を見つめていた。二人とも状況は把握できている。

〈身動きが取れない〉

午前八時四十八分

これまでの長い人生を通じて、ノラン・ド・コスタは勝利の味わい方を学んできた。大きな勝利も、小さな勝利も。彼はどんな勝利でも感謝の心を持って受け止めるようになった。

〈今もそうだ〉

少し前にポーチのドレイパー大尉から無線で連絡が入り、ドクター・ウィテカーの身柄を再び確保し、さらにはもう一人の侵入者、おそらく昨夜に囚人たちを解放した首謀者と思われる人物をとらえたとの報告があった。それに続いてエコン中尉からは、病棟内に閉じ込めた別の二人を捕獲するための応援要請が届いた。ここに戻ってくるとはなんと大胆な連中だろうか。しかも、カトワ鉱山から奇跡的に生きて脱出できた直後だというのに。

そうした努力には敬意を表さなければならない――だからと言って、得られる情報を絞り出した後も生かしておくつもりなどない。ただし、それはもう少し後の話だ。

机の奥に立ったまま、ノランはオフィス内を見回した。貴重な品々はすべて注意深く梱包され、武装ヘリコプターの荷物室に積み込んである。残っているのはアビシニアの黄金の王冠だけだ。ガラスケースから取り出され、藁を敷き詰めた木箱の中に置かれている。ノランは木箱に近づき、誰にも渡すものかと思いながら王冠の上に手のひらを置いた。

この数分間の幸運に感謝する一方で、ノランにはある不安が付きまとっていた。逃げ出した者たちの捕獲に成功したおかげで、数式から変数を排除し、不確定要素がより少ない形でこの先の方針を立てることが可能になった。それでも、ノランは重要な何かをまだ見落としている気がしてならなかった。そのせいで気分が落ち着かず、いらだちすら覚える。

コンピューターのチャイムが鳴り、ビデオ通話の着信を知らせた。ノランはコンピューターに歩み寄りながら、連絡を入れてきたのはエコンで、病棟での問題が解決したことを伝えようとしているのだろうと予想した。ところが、画面に現れたのは別の人物の顔だった。

映っていたのは若いベルギー人の軍事技術者で、ヘッドホンを装着し、マイクを顔の脇にずらしている。無線技士が担当するこの施設の通信設備は、コンゴ民主共和国全域に及ぶ広範なネットワークの一部だ。爆弾が炸裂して以降、夜の間に彼から定期的な報告が入っていた。一帯の通信を傍受し、ノランの介入が必要と思われる問題が生じた場合には知らせてくれていた。

ノランはモニターの前に手のひらを置き、身を乗り出した。「今度は何かね、ウィレム伍長？」

相手が表情を歪めた。「この重要な局面であなたの手をわずらわせる価値があることなのかはわかりません。けれども、不審なことはすべて知らせるようにとのお話でしたので」

「続けたまえ。君が気になることならば、私に知らせるだけの価値がある。君の判断を信用しているぞ」

「ありがとうございます。追跡プログラムでこの地域の全通信の監視と評価をずっと続けていました。変則的な送信や通信はリスト化して表示されるのですが、そのうちの一つがどうにも不可解なので、あなたにお知らせするべきなのではと思いまして」

「不可解とはどういうことだ？」

「プログラムが検知したのは、コンゴ民主共和国の辺境で東の方角に移動を続けるＧＰＳの接続信号です。最初は反乱軍かゲリラによるものだろうと思ったのですが、一定の間隔を置いて接続しているため、そのような兵力によるものとは考えにくいのではないかと」

「なるほど」

「そのためプログラムのログを詳しく調べました。三時間ほど前、その経路上で衛星を通じた短時間のバーストトラフィックが記録されていました。危うく見逃すところでした。時間はわずか六分間、暗号のかかった回線が使用されていて、民兵にしてはあまりに高度な技術が採用されていました」

ノランは嫌な予感がした。ドクター・ウィテカーの助手に対して抱いた懸念を思い返す。あの男の義手は高機能の――おそらく軍事技術が用いられたものだった。

〈そして今度はこれか……〉

「私に知らせてくれた君の判断は正しかったようだ、ウィレム。その通信が発生した場所は特定できたのか？」

「はい、ジャングルの奥の誰も人が住んでいないような地域で、キロモト鉱山から南西に三百キロほどの地点です」

ノランは眉をひそめ、怒りのうめき声が出そうになるのをこらえた。国境近くのその鉱山は自分の所有ではないが、その近くにある別の企業に資金援助を行ない、多額の投資をしていた。ところが、水圧破砕法を使用した掘削装置の事故により、奥地の湖で数千人の死者が出た。ノランが少なくない金をつぎ込んで責任の所在を転嫁したことで、悲劇は地震による不幸な出来事だったとの結論に至った。

「その通信の一部でも解読できなかったのか？」ノランは訊ねた。

「ええ、かなり複雑でしたので。これまでに見たこともないようなものでした。でも、お望みであれば解読作業を続けます。力になってくれそうな中国人ハッカーを知っていますので」

ノランは中国人の手を借りたいとは思わなかった。あの国は自分にとってこの地域での大きな競争相手に当たる。だが、ノランは個人的なプライドを真相究明の妨げにするような愚かな人間ではなかった。

「やってくれ。あと、その信号がこの先も繰り返し発生しないか、監視を続けるように。再び検知したらすぐに知らせてほしい」

「かしこまりました」

通話を終えた後も、ノランは机の奥に立ち続けた。付きまとっていた不安が再び大きくふくらむのを感じる。数式の中の変数をまだ見落としているのではないか、何かが見えていないのではないかというさっきの予感を思い出す。

ノランの心に確信が芽生え始めた。

〈誰がその通話を行なったにせよ——その人間こそが真の脅威だ〉

そのことがわかっただけで、ノランは気分が落ち着くのを感じた。拳でコツコツと机を叩く。どんな時でも問題を引き起こすのは未知の不確定要素だ。その存在を知ったからには、対処が可能になる。

頭の中で計算を行ないながら、ノランは自信がふくらみ、確信が高まるのを感じた。何をする必要があるのかを察知し、その調整作業に取りかかる。
この数式を解くためには――
〈残った最後の変数を排除しなければならない〉

25

四月二十五日　中央アフリカ時間午前八時四十九分
コンゴ民主共和国　イトゥリ州

グレイは石畳の道を歩き、ジャングルが壁のように行く手をふさぐ地点に向かった。前方ではマホガニーやレッドシダーの巨大な幹が密生している。絡み合った枝が低い位置に緑色の葉の傘を作っている。地面から大きく突き出た根までもがねじれ合い、高さのある障害物を形成していた。

石畳の道はその障壁を抜けた先に通じていた。向こう側からまぶしい光が差し込んでくる。トンネルに近づくと、グレイは懐中電灯のスイッチを切り、バックパックにしまった。もう必要ないほどの明るさだ。

グレイは頭を下げ、葉とつる植物に覆われた巨木の下をくぐった。ティエンデも杖を突きながら同行する。彼に付き添っていたモリンボとハンターたちは手前側に残ったままだ。

二人のすぐ後をベンジーが、さらにその後ろからコワルスキとファラジが続く。奥に進むにつれて周囲のトンネルがざわつき始めた。大きく開いていた水の滴る葉がグレイたちをよけるように丸まり、握り拳を思わせるその形は人間たちの存在に怒っているかのようだ。つる植物がヘビのようにうごめき、その表面を覆うとげが鉤爪のように葉を引き裂いていく。とげの先端からは深紅の樹液が涙のように流れ落ちていた。

そのうちの一滴がグレイの頬に落ちた。ハチに刺されたかのような痛みが走る。グレイは毒が含まれているのではと恐れ、シャツの袖でぬぐった。

ティエンデがグレイの動揺に気づいた。「顔を伏せておくといい。口の中に入りさえしなければ大丈夫だ」

「安心してくれ」コワルスキがさらに頭を低くしてつぶやいた。「あのとげをなめようなんて変な気は起こさないから」

ベンジーが顔をしかめて手首をさすった。樹液が当たったのだろう。「イラクサのとげに触れた時の痛みに似ている」恐怖よりも興味を覚えているかのような声だ。「イラクサの毒液はヒスタミン酸をはじめとする様々な酸が混じったもの。ギ酸に、酒石酸に、シュウ酸」

グレイはまたしても、今回世界に解き放たれたウイルスが何千年も前からこの盆地の植物相の遺伝子に影響を及ぼし、変異させたのではないかと考えた。

ベンジーがグレイのシャツの背中を引っ張った。「あれを見て……」

グレイは後ろを振り返った。ベンジーは後方を指差している。トンネルがゆっくりと閉じつつあった。枝がさっきよりも下に傾き、葉も大きく開いている。とげのあるつる植物が網の目のように絡み合い、背後をふさいだ。

グレイはティエンデの方を見ながら老人の警告を思い返した。〈値しないと見なされれば、君たちはここから出られなくなるだろう〉

どうやらその言葉通りのことが起きつつある。

ほかにどうすることもできず、グレイはトンネルの奥に進み続けた。前方の光が次第に輝きを増すが、目のくらむようなまぶしさではなく、夜明けの優しい明るさを思わせる。グレイはあの光の中に光合成のエネルギーのようなものが含まれており、この真っ暗なジャングルに埋もれた小さな太陽として植物の旺盛な生育を支えているのではないかと思った。

ようやくトンネルの終わりに達した。前方に開けた光景を見て、グレイは唖然とした。おとぎ話に出てきそうな世界が何百メートルにもわたって広がっていて、その中には池が点在している。周囲を深いジャングルが取り囲み、頭上も林冠が屋根のようにすっぽりと覆っていた。

ベンジーがはっと息をのみ、ふらふらと歩きながらグレイとティエンデの隣に並んだ。

視線はきょろきょろと落ち着かない。「森の中に森があるみたいだ」

グレイも同じ感想だった。濃いエメラルドグリーンの壁に囲まれた中には別の森が存在していた。雪のように真っ白な無数の幹が数十メートルの高さに伸びている。巨大なシラカバの木々が広がっていると勘違いしそうだが、樹皮は薄くて乾いたものではなく肉厚で、キノコの柄の表面を思わせる。枝は金色がかった緑色の葉がきれいな半球状になるように伸びていて、隣の木と重なり合っているところがないため、この木々が何らかの意図をもって植えられた、または栽培されたかのように見える。

光は森の地面から発していた。起伏に富む大地には燐光性の菌類や光り輝くキノコが繁茂している。小さな池の水面も光が揺れていて、水中に生物発光性の藻類のようなものが生息しているのだろう。

カビや腐敗のにおいが混じった空気のせいでそんな印象がより強まる。熟しすぎた果物に似た濃厚な甘さも漂っている。それと同時に、においには古さも感じられ、この場所にあるすべての毛穴から果てしなく長い間、汗とともにあふれ続けているかのようだ。

「これからどうするの？」ベンジーが声を潜めて訊ねた。

「先に進む」グレイは答えた。

ティエンデがそれでいいと言うようにうなずきながら、警告の言葉を付け加えた。「道を外れてはならない」

道はこの起伏のある地形の先に続いていて、左右にくねりながら森の中を抜けている。グレイはティエンデとともに先頭に立ち、再び歩き始めた。道幅は二人が並んで歩けるくらいしかない。

先に進むにつれて森に囲まれるようになり、それに合わせてにおいも強くなった。不思議な森もグレイたちの接近に気づいたようだ。キノコの塊が震えたかと思うと根が地中を移動し、盛り上がった地面の隙間から青白いその姿をのぞかせる。太腿《ふともも》ほどの太さのある根茎が道の右側の地面を突き破って出現した。その表面から何本もの鋭いとげが飛び出したが、すぐに引っ込むと再び地面の下に潜った。

コワルスキの目はその動きを追っていた。「俺は絶対に道の外に出ないからな」

ベンジーは根茎の出現とその脅威に気づかなかったようだ。視線を森に向けている。「何本もの木が集まってこの場所を形作っているわけじゃないと思う。木の形状が似すぎている。パンドのことを思い出すよ」

「パンドっていうのは誰だ?」コワルスキが訊ねた。

「『誰』じゃなくて、『何』だよ」ベンジーがまわりを見回しながらうわの空で答えた。「森のこと。ユタ州にあって、『震える巨人』とも呼ばれている。ポプルス・トレムロイデス、つまりアメリカヤマナラシの森で、一見すると何キロにもわたって四万本以上の幹が生えている森みたいだけれど、実際には単一の生命体で、一本の木の根からたくさんのクローンの幹が伸びている。樹齢は少なくとも八万年と考えられていて、もしかすると百万年を超えているかもしれない」

「俺たちがここで目にしているのもそれと同じようなものだと考えているんだな？」グレイは問いただした。

「たぶん。それにこの木は見たことがあるように思う」

「本当か？」

「ただし、化石として残されたものだけれど。幹の基部は太く、先端に向かうにつれて細くなっている。先史時代の巨木で、シダの仲間とされるクラドキシロンに似たものだと見てまず間違いない。クラドキシロンは四億年近く前に登場した地球上で最初の樹木だと考えられている。ほら、幹に裂け目がある。少し手前で見つけた裂け目は、幹の内部が空洞だとわかるくらい大きかった。それに亀裂が新しい木部で埋まっていて、自己修復している。初期の木はこうやって成長していたんだ」

　ベンジーがグレイの方を見た。「世界最古のキノコはコンゴで発見されたという話を覚えている？　キノコや菌類が原始の土壌を作り上げたおかげで、その後に現れた木々が根を張れるようになったという話」ベンジーが一本の木を指し示した。「最初に生えたのがこのような木だった。間違いなく木なんだけれど、キノコや菌類の特徴も兼ね備えていた。だからこの森も多くのキノコの種と同じように、すべてが同じクローンだと思ったたんだ。この森は半分が木で半分がキノコだと考えるべきじゃないかな」

グレイは森を新しい視点で眺めながら息をのんだ。半球状になった木々の頭頂部もキノコの傘みたいで、ひだの代わりに巨大なシダのような葉が生えている。

ベンジーの説明はまだ終わっていないらしく、今度は隣の幹のはるか上を指差した。「あと、丸みを帯びた突起がいくつもある。あれは途中で見たホコリタケのような、原始的な胞子嚢《ほうしのう》だ」次に指差した先を見ると、その表面に開いた無数の小さな穴から煙のようなものが噴き出ている。「ほら、あれはもう小孔から胞子を放出している」

グレイはその光景に顔をしかめた。「だから半分が木で半分がキノコ……」

コワルスキもうれしそうには見えなかった。「こいつらはそれ以上の何かだと思うぞ」またしてもとげのある根茎が飛び出し、大男は飛びのいた。「動物も混じっているんじゃないのか?」

「そうかもしれない」ベンジーは肩をすくめて認めた。「何かが進化の道筋の途中でいろいろな組み合わせを試しているのは間違いないよ」

グレイはその意見を考えた。ウイルスはここであらゆるものを、この太古の生命体も含めたすべてを変異させてきたということなのだろうか?

グレイは答えを求めて前方を見渡した。曲がりくねった石畳の道はこの不思議な木々のさらに奥へと、間違いなく森の中心部へと向かっている。

〈だが、そこでは何が俺たちを待っているんだ？〉

午前八時五十三分

ベンジーは身近にある謎に気を取られて、ほかの人たちから遅れていた。前を歩くグレイはティエンデを質問攻めにしているが、老人は何も答えようとはせず、行く手を指差すばかりだ。二人の後ろをコワルスキがむっつりと歩いている。

ベンジーはほかの人たちの存在を頭から追い出した。それよりもまわりのことの方に興味をひかれる。水面に光が揺れる池は森の外れでは小さいものばかりだったが、進むにつれて徐々に大きくなってきた。アーチ状の橋が架かっているところもある。

三本目となるそんな橋を渡りながら、ベンジーは赤みがかった黄色い輝きに目を奪われて池の底をのぞき込んだ。どの池もその周囲を黄土色の粘菌が縁取っていて、それが光源となっていることはすでに突き止めていた。燐光性の粘菌は池の水を同じような色に染めているので、薄い紅茶が光を放っているかのように見える。

手すりが付いていないので端に近づきすぎないように気をつけながら、ベンジーは池の中を観察した。橋の上から見ると新たな発見があった。池の底は一面に青白い網をかぶせたようになっている。ベンジーは模様をよく見ようと目を凝らした。小さなこぶが糸状の網をつなぎ合わせていることに気づく。自分の目に映っているものの正体がわかり、ベンジーははっと息をのんだ。

「菌糸だ」つぶやき声が漏れる。

それが正しいとすれば、さっきの自説がさらに裏付けられることになる。

菌糸とはいくつにも枝分かれした糸状の構造で、それが集まって菌糸体を形成する。菌糸はあらゆるものを一つにつなぎ合わせる。この菌糸のネットワークがここの生物の一部になっているのか、あるいはそれとある種の共存関係を作っているのかまではわからない。多くの植物は土壌中の菌類と互恵的な関係を築く。そのような菌根のネットワークを神経回路にたとえて森の脳と見なす意見すらある。菌糸内には人間の脳の主要な伝達物質の一つであるグルタミン酸をはじめとした神経伝達物質も流れている。

ベンジーは同じ網が地中を伝ってあらゆる方向に広がり、何平方キロメートルにも及ぶ広大な構造体を形成している様子を想像しながら、池の岸とその先を見つめた。知的な存在の冷たい目が見つめ返しているような気がして、ぞっと寒気を覚える。

ベンジーは自分の仮説を披露したくなり、急いでほかの人たちの後を追った。

ところが、仲間の一人が橋の上にとどまったまま、池を見下ろしていた。

ベンジーはファラジのもとに歩み寄った。「行こう。みんなに追いつかないと」

ベンジーが追い越そうとしても、ファラジは喉を手で押さえてその場を動こうとしなかった。

「どうかしたのかい？」ベンジーは問いかけた。

ファラジが池を指差した。「ウテテジ……」

ベンジーは顔をしかめた。彼は人並外れた記憶力の持ち主で、研究生活を送るうえでは数多くの事実を暗記する際にその能力が役立った。それでも、バントゥー語の単語の意味を思い出すまでに少し時間がかかった。その単語を耳にしたのは二回だけ、場所はキサンガニ大学。ウテテジとは「防ぐもの」の意味だ。ファラジはその単語を、シャーマンが国連のキャンプで使用したガラス瓶入りの粉末に関連して使用していた。

ベンジーの頭に夜間の決死の脱出劇の記憶が、ヒヒの群れによる攻撃の記憶がよみがえった。ウォコ・ボシュが体を一回転させながら細かい粉末をヒヒたちに振りかけ、追い払った時の光景を思い出す。

その瞬間に意識を集中させると、時間がゆっくりと経過していくように感じられる。

〈あの時にばらまいた粉末……〉

ベンジーは水面を見下ろした。あの粉末もここと同じ、少し赤みを帯びた黄色をしていた。ベンジーはファラジの肩をつかみ、ほかの人たちを呼び戻した。グレイたちがいぶかしげな表情を浮かべながらも戻ってくる。ベンジーは待ち切れずに橋の終わりまで走って出迎えた。

後方の池を指差しながら自分とファラジの考えを伝える。「粘菌だよ」息を切らして伝える。「それとも水の中に含まれるほかの何かかもしれない。それがウォコ・ボシュの粉末のもとだったんだと思う。きっとここのような池から抽出したんだ」

グレイがティエンデを見た。「それは本当ですか？　シェパード牧師がここから手に入れたというのは」

「モリンボの人々が彼に贈り物として手渡した。帰りの道中で身を守るための術として」

ティエンデは再び歩き始め、後をついてくるよう促した。「君の言う通り、この池から手に入れたものだ」

「けれども、それは治療薬ではない、そういうことなんですね？」グレイは問い詰めた。

「感染した生き物を追い払う手段にすぎない」

ティエンデは首を縦に振り、そうだと認めたものの、何も言わなかった。

ベンジーはグレイの隣に並んで歩いた。池の底で見つけたほかのものについても、手短に話を伝える。「全部がつながっている。菌糸体のネットワークで、この巨大な原始の木々のクローンたちすべてが。それにこの森にはあのウイルスに対する中和剤の類《たぐ》いを生成できる力があることもわかっている。もしそれが本当なら……」

ベンジーは自分の考えにぞっとした。

グレイは黙ったまま、話の続きを待っている。ベンジーはこの男性がすでに同じ結論に達しているのだと感じた。もしかすると、自分よりも先に到達していたのかもしれない。

「続けてくれ」グレイが促した。

ベンジーは別の木のそばを通り過ぎた。幹に連なる大きな胞子嚢が煙状のものを吐き出した。

「森がウイルスに感染しているんじゃなくて」ベンジーは言った。「ウイルスの発生源なんだ」

グレイが唇をかたく結んだままうなずいた。その先はこれまで以上に歩を速めて進む。時間に限りがあることを察しているに違いない。

ベンジーは理解した。

〈もう僕たちも感染しているかもしれない〉

道の行く手に大きな岩がそびえていた。斜めに傾いた岩は二階建ての建物よりも大きく、苔やキノコに覆われていて、一面に地衣類が貼り付いている。その傾いた表面に一本の木が根を張っていた。まだ若い木で、幹はベンジーの前腕部くらいの太さしかない。根の大部分は表面を覆った菌類の中に入り込んでいるが、むき出しになっているところもある。岩の高い地点で根茎の一部がうごめきながら潜り込んでいる様子は、あたかも岩にしがみつこうとして木が必死にもがいているかのようだ。下に目を移すと、根は岩の基部のさらに先まで延びていて、おそらく地下に隠れた本体とつながっているのだろう。

木の動きを見ながら、ベンジーは植物が陸地で栄えるための土台をキノコが築いたという話を思い返していた。目の前の光景はそんな最初のコロニー形成の縮図のように見える。

一行が大きな岩を迂回しようとすると、その先に小高い丘がそびえていた。てっぺんに茂る木々の樹冠部分しか見えないが、高いところにまで植物のコロニーが広がっていることを示している。

先頭に立って岩の向こう側に回り込んだグレイが不意に立ち止まった。危うくその背中にぶつかりそうになったベンジーは、脇に移動してグレイを追い越した――だが、衝撃で思わず後ずさりした。

ベンジーはすぐさま勘違いに気づいた。

大きな岩の奥にそびえていたのは丘ではなかった――とてつもなく大きな一本の木だ。

そのあまりの大きさにコワルスキが悪態をついた。

ファラジも息をのむ。

岩の手前でベンジーが目にした数十本の木々だと思ったものは、実は一本の巨木の樹冠で、先端は百メートル近い高さにまで達している。幹の直径は二十メートル、その表面は傷や節だらけだ。上半分の色は周囲のほかの木々と同じく白いものの、下に行くほど色が濃くなり、地面の近くでは黒い色になっている。長い年月を経て化石化したかのように見えるが、まだしっかりと生きている。

巨木が鎮座する周囲数十メートルにはとげを持つねじれた根が広がっていた。コワルスキの胸回りほどの太さのものもある。絡み合った根がこぶや結び目となって巨木の周囲に壁を築いていて、その高さは少なくとも五、六メートルはあるだろうか。

ベンジーはどうにか声を出すことができた。「あれは……母樹だ」

午前八時五十八分

〈たぶん、彼の言う通りだ……〉

グレイは巨木のあまりの大きさに啞然としていた。ありえないようなサイズを心が受け止め切れずにいる。目の前にあるのはこの森の中心で、古代から連綿と存在し、何千年もの間、ことによると何万年もの間、生き続けてきたのだ。

グレイはここに根を張るのがただの母樹ではないような気がした。

〈母なる自然そのもの〉

ティエンデは別の呼び名を使った。「ここにおられるのが君たちを裁くお方だ。君たちが値するかどうか、彼女が判断を下される」

老人が先頭に立って再び歩き始めた。グレイたちもその後について残りの道のりを進む。近づくにつれて木が前方の視界のすべてを占めるようになった。木を環状に取り囲むとげのある根はコクタンの彫刻作品を思わせ、木というよりも石のように見える。さらに近づくと、黒い表面に銀色の木目があるのを確認できた。

ティエンデが根の壁の手前で立ち止まった。絡み合った根の下に通り道があり、その奥に続いている。ここから先は這って移動しなければならない。誰一人として、自分から進んでくぐり抜けようとする者はいなかった。狭い通り道に短剣のような鋭いとげが連なっているからなおさらだ。化石のような見た目にもかかわらず、目の前に連なる根の塊はきしんだりうめいたりするような音を発している。

〈まだ生きている。俺たちがここにいることを知っているんだ〉

グレイはこの森に立ち入った時、自分たちが通り過ぎてから後方の木々のトンネルがふさがったことを思い出した。

〈俺たちがこの中に入っている時にあれと同じことが起きたら……〉

コワルスキがティエンデをにらみつけた。「俺たちにあそこをくぐり抜けろって言うのか？　ピグミーみたいに簡単にはいかないんだよ」

ティエンデはじっと待ったまま、短い言葉を返した。「君たちは検査を受ける」

ベンジーが小首をかしげて根をじっと見つめながら近づいた。「なるほど……」

「どうしたんだ？」グレイは訊ねた。

大学院生が後ずさりした。体をひねったりよじったりしながら、カーゴパンツの脇ポケットからようやく何かを取り出し、それを前に掲げる。ウィリアム・シェパード牧師に似せて彫られたンドップ像だ。夜明け前にモリンボに見せた後も、ずっと持ち続けていたのだ。

ベンジーが湾曲した根に像を近づけた。振り返った若者は片方の眉を吊り上げている。その時、グレイにもわかった。コクタンの彫刻作品には根と同じ銀色の木目が入っている。

グレイはティエンデを見た。「同じ木だ」

老人がうなずいた。「それもまた、モリンボからの贈り物だ。ほんのわずかであろうとも彼女の一部を分け与えてもらうことは、とてもまれな名誉だ。彼らがいかにシェパード牧師のことを敬っていたかがわかる。牧師は彼らの仲間の多くを救ったのだ」

グレイは自分たちも同じように値すると判断されることを願った。不気味な根の壁の奥には葉の茂った巨大な樹冠が見える。それを確かめる方法は一つしかない。

ティエンデが杖の先端で通り道を指し示した。「さあ、時間だ」

グレイはその言葉を受け止めた。前に進み出て四つん這いの姿勢になる。「俺が先に行く」

誰も異議を唱えなかった。

　グレイは武器を胸の側に回し、トンネルに潜り込んだ。低い体勢のまま、とげが当たらないように体をくねらせながら進む。それでも、すべてのとげをよけることは不可能だった。体のあちこちにとげが刺さる。割れたガラス瓶の中を無理やり通り抜けようとしているかのようだ。とげの先端が切り傷を作る。肩に、頭頂部に、片方の頬に。そのたびにグレイはひるんだ。痛みのせいではなく、とげに含まれているかもしれないものへの恐怖からだ。

　ほかの人たちも似たような状況だった。後ろに続く仲間たちから、叫び声や息をのむ音、とめどもない悪態が聞こえる。グレイは獣の牙のようなとげが今にも通路をふさいでしまうのではないかと覚悟した。前進する速度を上げるものの、そのせいでさらに多くのとげが傷を作る。トンネルは永遠に続くかのように感じられたが、実際には五、六十メートルほどの長さだっただろうか。

　ようやく出口が見えてくると、グレイは息を殺したまま残りの距離を這った。外に出ると立ち上がって脇に移動する。母樹のあまりの大きさに思わず一歩後ずさりした。

　三十メートルも離れていないところに立つと、幹が黒い壁となって視界をふさいでいる。首を曲げて見上げても樹冠を目で確認できない。しかし、いちばん低い枝の下側にはその先端に向かって、胞子を形成する突起がいくつも連なっていた。何千とまではいかないにしても何百という数がありそうだ。胞子嚢は重なり合うように密集しているので、薄気味悪いブドウのように見えなくもない。いちばん小さなものでもバスケットボールほどの大きさで、最大のものだとその十倍はある。

グレイが見つめているうちに、胞子嚢の多くが煙状の胞子を放出した。

ほかの人たちもトンネルから這い出て、グレイの隣に並んだ。全員が目の前の威厳ある存在を啞然として見つめている。グレイたちと幹の間には岩肌が広がっているが、その上に何もないわけではなかった。ここでもまた、今くぐり抜けたばかりのものよりは低いものの、根の壁がうごめいている。それがグレイたちと木の間に立ちはだかっていた。ただし、こちら側の根は真っ白だ——まだ若く、そのせいで気性が激しいのか、よそ者の存在にいらだっている様子だ。

根を越えた先の真正面には黒い幹に高さのある亀裂が入っていて、その奥は空洞になっていた。

ただし、ただの空洞ではない。

暗い入口の奥では木の内部で大きな水たまりが輝いていて、中心部を照らしていた。これまで見てきたほかの池と同じように水面が穏やかな光を放っているが、ここの輝きは水たまりの底で月が明るく輝いているかのような銀色をしている。

幹の内側では水の輝きと同じ銀色の木目が黒い壁に入っていた。

「ムザジ・ムザワ」杖を突いて立つティエンデが言った。

前方に意識が向いていたため、グレイは老人が一緒についてきたことに気づいていなかった。

「『母乳』の意味だ」ティエンデが説明した。

グレイは老人に険しい眼差しを向けた。手を貸してくれることには感謝している一方で、率直に話をしない姿勢にはいらだちを覚える。グレイには答えが必要だった――だが、最も重要な点は解明できたと考えていた。

「母乳」グレイは繰り返した。「そのような名前が付いているからには、治療薬があるとすればあの池の中に含まれているということなのでしょうね」続いて胞子を吐き出す突起を指差す。「あれに対する治療薬が」

ティエンデはあきらめたかのように肩を落とした。「ずっと長い間、彼女は静かで、眠りに就いたまま年月を過ごしていた。ところが十八カ月前、彼女は何かの変化に、彼女が脅威と見なした何かに反応した。彼女は数週間にわたって絶え間なく毒を放出した――森全体が放出した。やがてすべては元に戻った」

グレイはこの盆地から致死性のウイルスを含む煙が立ち昇り、一帯に病原体をまき散らす様子を思い浮かべた。

ティエンデの話は続いている。「被害はこの地域に限定されることを願っていた。そして、それもいずれは元に戻ることを。過去にもそうだったように」

グレイはベンジーの方を見た。この若者はウイルスの影響が当初は限定されていて、狭い地域に及んでいただけだったのではないかとの仮説を述べていた。だが、その後で事態が急変したのだ。

「モンスーンによる大雨、何カ月にもわたる洪水」グレイは言った。「そのせいで感染の影響が過去の例よりもはるかに広く及んだ結果、広範囲にまで行き渡ってしっかりと拠点を築いたことで、激しい炎となって燃え上がるだけの力を蓄えてしまった」

ティエンデがうなずいた。

グレイは眉をひそめた。「それでもまだ理解できないことがあります。そもそものきっかけは何だったんでしょうか?」グレイは盆地全体を指し示した。「誰もここに侵入したり、この森を脅かしたりはしていないはずなのに」

「直接にはそうかもしれない。だが、長い年月を経るにつれて彼女の機嫌がわかるようになる。この数十年ほど、彼女はそれまで以上に気難しくなっていた。汚染の増加のせいかもしれない。空気の汚れ、酸性雨、川に垂れ流される有毒物質、暑さと長さが増す一方の夏。さらには人間による周辺地域への侵入。それらすべてが相まって、彼女を神経質にさせ、いらだたせることになった」

グレイはベンジーの方を見ながら、植物の敏感さに関する話を思い返した。周囲の世界に反応し、環境のほんのわずかな変化でも感じ取る力があるという——特にそれが自らを脅かす場合には。

グレイはティエンデに注意を戻した。「でも、具体的には何が十八カ月前に火をつけたのですか？　木をそこまで追い詰めたきっかけは何だったのですか？」

ティエンデがため息をついた。「私が真相をつかむまでに長い時間を要した。彼女が察知した脅威は北東の方角から、キロモト鉱山の付近からやってきた」

グレイはタブレット端末の地図でその鉱山の名前を見た覚えがあった。「鉱山での作業が彼女の領域に近づきすぎたということですか？」

「いや、それよりもはるかに激しい動きだった」ティエンデが答えた。「その地域の湖が爆発したのだ。その周辺に暮らす数千人が命を落とした。死因は窒息死だ」

「爆発の原因は？」グレイは訊ねた。「鉱山で事故が発生したとか？」

「会社は地震が起きたためだと主張している」ティエンデは顔をしかめた。「だが、私は自ら現地に赴き、その地域で暮らす人たちから話を聞いた。地震が原因なのではない。少なくとも、自然に発生したものではなかった。何者かがそこに重機を持ち込んだ。やがて爆発音が聞こえ、大地が激しく震動したという」

「水圧破砕法だろうな」コワルスキが指摘した。

ティエンデは肩をすくめた。「村人たちは鉱山の運営者たちに警告しようと試みたそうだ。地元の迷信では湖を目覚めさせてはならないとされている。湖が目覚めると、水中から死神が出現すると考えられていたのだ。だが、村人たちの訴えは無視された。事故後、会社はすべてを隠蔽《いんぺい》し、地震が原因だと発表された」

「でも、まだ理解できない」グレイは言った。「自然のものであろうとそうでなかろうと、地震のせいで湖が爆発して村人たちを窒息死させることなどありうるんだろうか？」

答えは意外なところから返ってきた。ベンジーが目を大きく見開いていた。「その事故について読んだ覚えがある。コンゴに来る前のことだけれど。メタンの爆発だ」

「メタンだって？」グレイは聞き返した。「どこから発生したんだ？」

「あまり一般的ではない発生源だね」ベンジーが説明した。「でも、プレートの活動が活発なこの地域ではそんなに珍しいわけでもない。コンゴ民主共和国とルワンダの国境には多くの湖が連なる。そのうちのいくつかには火山からの温泉が流れ込んでいる。湖はかなり水深があるから、そうした温泉から放出されるメタンが水に溶けた状態で、水圧に押されて底の方にたまる。そのようにして形成された不安定な層はとても危険なんだ。地震――または湖が激しく揺さぶられるような何かが起きたら、その層が崩れ、閉じ込められていたメタンがいっせいに放出される。以前にも起きたことがあって、一九八六年のカメルーンのニオス湖の湖水爆発では二千人近い死者が出た」

グレイは揺れに気づいた村人たちが見た時には湖の水面が沸騰したような状態になっていて、そこから放出された大量の有毒なメタンによって次々と呼吸困難に陥っていく様子を想像した。

ベンジーの説明は続いている。「国境沿いに連なる湖の中でも最大規模のキブ湖では、そのことが大いに不安視されている。そこも同じように不安定な状態だし、周辺に暮らす人の数ははるかに多い。そこが爆発したら数百万人が命を落とすことになるかもしれない」

グレイはここで起きたことを理解しつつあった。「そのメタンが鉱山周辺からここまで流れてきたに違いない。そして母樹はその有毒物質を検知した」

ティエンデがうなずいた。「彼女はそれを差し迫った脅威だと見なした――そして激しい反応を示した」

グレイは額をさすりながらこの悲劇的な出来事の連鎖について考えた。また、厳しい現実にも思いを馳《は》せる。たとえメタンの噴出がなかったとしても、いずれは何かがきっかけとなって木に放出を促していたはずだ。それ以前から環境の悪化という強いストレスにさらされていたのだから。

グレイが母樹を見上げると、今もまだ煙を吐き出している。

自然が人類による杜撰《ずさん》なやり方にうんざりしているのは間違いないようだ。地球の歴史において、人類が現れて以降の人新世はほんの一瞬にすぎない。一方で自然ははるか昔から存在していて、何十億年にもわたって生存戦略を発達させてきた。

〈俺たちがそれに張り合うことなんてできるのだろうか?〉

そんな疑問はひとまず置いておかなければならない。より緊急性を帯びた問題がある。グレイは木の内部で輝く銀色の池を指差した。あの水にどんな治癒力が含まれているのかはわからないが、世界の望みはあれにかかっている。

「彼女は俺たちにも贈り物を与えてくれますか？」グレイは訊ねた。

「さっきも言ったように、彼女が君たちを値すると見なせば」ティエンデはくぐり抜けてきたとげ付きのトンネルを指差した。「君たちの検査はもう終わった」

「ここから先はどうすればいいんですか？」

ティエンデは前方を顎でしゃくった。「近づくだけでいい。彼女が答えを教えてくれる」

グレイは岩肌の上でうごめく根を見つめた。互いに絡み合いながら、とげを出したり引っこめたりしている。あの鋭いとげに攻撃されたら、数歩も進まないうちに体をずたずたにされ、骨から筋肉をむしり取られてしまうだろう。

〈たとえそうであっても、試してみなければならない〉

グレイは大きく深呼吸をしてから、少しばかりの慈悲を求めた――自分に対してではなく、世界に対しての救いを。うごめく脅威に向かって岩の上を横切っていく。前に足を踏み出すたびに、無数のとげで払いのけられるのではないか、あるいは突き刺されるのではないかと覚悟する。根の動きが接近に反応していっそう激しくなる。

グレイは根の壁の手前で立ち止まった。

だが、距離が近すぎたようだ。

一本の根が飛び出してきた。目で追い切れないほどの速さだ。根がグレイの胸を打ちつけた。トラックがぶつかったかのような衝撃が走る。体が後方に吹き飛び、激しく地面に叩きつけられる。グレイはまともに呼吸ができないまま、あえぎながら上半身を起こした。肋骨のあたりをさする。

〈少なくとも刺されずにすんだ〉

ただし、もっと悪い現実を突きつけられる。グレイがティエンデの方を振り返ると、老人の表情がすべてを物語っていた。

〈俺は拒まれた〉

グレイは咳き込みながら立ち上がった。「俺だけかもしれない。全員が試すんだ。ほかに選択の余地はない」

明らかに気が進まない様子でベンジーが次に挑んだ――待っていたのは同じ運命で、グレイたちの方にはじき飛ばされた。ファラジの結果も変わらなかった。

「こうなったらこれしかねえな」コワルスキが肩に掛けていたシュリケンを手に取った。銃口を根の塊に向けて歩き出す。「俺のやり方でノックさせてもらうぞ」

グレイは大男に飛びかかろうとした。「やめろ――」

コワルスキがさらに二歩も進まないうちに、一本の根がうなりをあげて伸び、手から武器を払いのけた。その衝撃で鋼鉄製の銃身がねじ曲がったライフルは、回転しながら宙を飛び、後方の壁の中に落下した。

「何をしやがる！」コワルスキがわめいた。

だが、コワルスキが反応したのは武器を奪われたことに対してではなかった。別の根が伸びてきて大男の手首をつかんだ。コワルスキが行動を起こすよりも早く、三本目の根が股の間をすり抜けて太腿に巻き付いた。

コワルスキの巨体が不気味に揺れるとげの塊の方に引っ張られた。大男は腕をかざして顔面を守ろうとしている。必死に足を踏ん張りながら引っ張る力に逆らおうとするものの、どう見ても勝ち目はない。

グレイは手を貸そうと駆け寄った。

「だめだ！」ティエンデが叫んだ。「邪魔をしてはいけない！」

グレイは老人の意見を尊重したいと思ったものの、仲間を見捨てるわけにもいかなかった。だが、その一瞬のためらいのせいで間に合わなかった。コワルスキの体が持ち上がり、勢いよく引っ張り込まれる。悲鳴をあげる大男の体が絡み合った根に激突する――そう思った瞬間、根が左右に分かれてコワルスキを内側に招き入れた。その巨体が隙間を閉じた壁の内側に消える。

グレイはあわてて立ち止まった。

〈遅かったか……〉

グレイは苦痛の悲鳴が響きわたるのを覚悟したが、聞こえてきたのはいらだちもあらわな罵詈雑言《ばりぞうごん》の数々だった。数歩後ずさりしてからつま先立ちになって奥をのぞき込むと、壁の向こう側に再びコワルスキの姿が現れた。根が絡まったままだが、まだ生きている。コワルスキは根を振りほどこうと必死だ。

ティエンデがグレイのそばに近づいた。「彼は選ばれた。値すると見なされたのだ」

グレイは困惑しながら老人を見つめた。「コワルスキが？」

ティエンデが眉をひそめた。「彼は素晴らしい心を持っているわけではないのかね？」

グレイはどう答えればいいのかわからず、口ごもった。

「それならば、彼は病気なのでは？」ティエンデが別の質問をした。

思いがけない質問を受けたグレイは一瞬、答えるのが遅れた。体が頑丈で頭が頑固なコワルスキと一緒にいると、彼が悪性の骨髄腫《こつずいしゅ》と闘病中だということをつい忘れがちだ。こちらも彼にとっては勝ち目の少ない闘いだった。

「ええ……そうです」グレイは認めた。「癌を患っています」

「なるほど」ティエンデは後方にそびえる黒い根の壁の方を振り返った。グレイたちはとげのある根でできたトンネルを這ってくぐりながらこちら側にやってきた。「彼女はそのことに気づいたに違いない」

あることに思い当たり、グレイははっとした。とげが切り傷を作り、繰り返し刺さったことを思い出す。あの時は毒でも注入されるのではないかと不安だった——だが、実際にはとげがサンプルを採取していたに違いない。近づく者たちをより理解するために採血をしていたのだ。

グレイはまたしても、植物は極めて適応力が高いというベンジーの意見を思い返した。また、ティエンデの言葉も脳裏によみがえった。〈君たちの検査はもう終わった〉

あれはその言葉通りの意味だったのだ。

「彼女は癒すために最善を尽くす」ティエンデが説明した。「彼女は厳しい母で、怒りに駆られた時には慈悲の心を持たないが、多くの優しさを持ち合わせた存在でもある」

グレイは前に進み出た。理由はどうあれ、この展開を利用しなければならない。グレイは口に手を当てて叫んだ。「コワルスキ！　抵抗するな！　木の好きなようにさせろ！　ただし、水筒にその水を満たすことだけは忘れるなよ！」

コワルスキはもがきながら叫び返した。「どうしていつも俺がモルモットにならなきゃいけないいんだよ」

コワルスキの体は根から根に送られながら、徐々に木の方へと引き寄せられていく。足先で地面をこすったり蹴ったりするものの、何の効果もない。新たに何本もの根が中空の幹の内側から伸び、コワルスキに絡みついた。巻きひげが顔面を這い回り、服の下に潜り込む。

コワルスキはわめき、身をよじらせ、明らかに憤慨している。「今度そこをついたりしたら、おまえを焼き払ってやるからな！」

抵抗もむなしく、コワルスキの体が木の入口を通り抜けた。幹の裂け目から内側に引きずり込まれる。根がその体を水面まで運んでいく——そして光る池に優しく招き入れた。

その光景を見ながら、グレイはさっきのティエンデの問いかけを思い返した。

〈彼は素晴らしい心を持っているわけではないのかね？〉

グレイの脳裏をよぎったのはコワルスキが泳ぐ別の場面だった。ほかの人たちを救うためにすべてを投げうち、放射性物質のプールを泳いで渡った。そのせいでコワルスキは病気になり、骨髄の癌を患う結果になった。母樹は何らかの方法でそんな自己犠牲の精神にも気づいたのだろうか？　彼が選ばれたのには癌にかかっている以上の理由があったのか？　本当の理由はそこにあったのか？

木の内側ではまるで洗礼の儀式を受けているかのように、コワルスキの全身が水中に沈んだ。グレイはこの儀式が役に立ってくれることを祈った——その一方でより大きな懸念が残る。

たとえ治療薬を入手できたとしても、ここから脱出しなければならない。しかも、できるだけ短時間で。その緊急性を考えると、ただじっと待っていることはできない。グレイはバックパックを探り、衛星電話を取り出した。最後にもう一度だけ、連絡を入れなければならない。

〈ペインターに伝えないと〉

ほかには誰にも伝わらなければいいのだが。

26

四月二十五日　中央アフリカ時間午前九時
コンゴ民主共和国　ベルカ島

〈こいつは計画とはまったく違ってきたな〉

タッカーはポーチに通じる段の下でひざまずいていた。左右の手を組んで頭の上に置き、しっかりと押さえている。心臓の鼓動が伝わる。背中に突きつけられているのはライフルの銃口だ。デザートイーグルは背後に立つ見張りに奪われ、そいつのベルトに挟まっている。

フランクの方がひどい目に遭っていた。タッカーの隣で同じく泥の中にひざまずいているが、唇は裂け、片方の目が腫れ上がっている。もう一人の兵士がフランクの後頭部に拳銃の銃口を向けていた。少なくとも、友人はそれなりの抵抗を見せたということだ。

タッカーは胸骨の痛みがまだ治まらなかった。ドレイパーは射撃の優秀な腕前を披露し、タッカーの胸に命中させた。殺されずにすんだのはケブラーの防弾着のおかげだ。

〈まあ、そんな運命が訪れるのはそれほど遠い話じゃなさそうだがな〉

ドレイパーは宿泊施設のポーチの上で勝ち誇った表情を浮かべている。無線を口元に当て、退避の最終調整を行なっているところだ。その間もずっと二人をにらみつけたまま、警戒を緩めようとはしない。

ドレイパーの背後で扉が開いた。二人の人物が大股で表に出てくる。一人は白衣姿のコンゴ人の医師だ。もう一人は六十代前後と思しき長身の男で、しわ一つないリネンのスーツに黒のネクタイを身に着け、ダークブロンドの髪はポマードできれいに整えられている。

タッカーは一人目の男が施設の研究チームのリーダーだろうと当たりをつけた。フランクの顔に浮かぶせせら笑いで推測が確信に変わる。二人目がノラン・ド・コスタなのは明らかだった。フランクからあらかじめ外見について聞かされていたものの、医師や兵士が示すこびへつらった態度を見ればその正体は一目瞭然だ。

ド・コスタが勝利の余韻に浸るためにやってきたのは間違いない。おそらくドレイパーが無線で連絡を入れたのだろう。ＣＥＯの視線がタッカーに留まった。「なるほど、こいつが多くのトラブルを引き起こしてくれた張本人というわけか。いずれにしても、この男がどうやってここまでやってきたのか、間もなくわかることになる」

タッカーは頭の上に置いた手の片方をゆっくりと持ち上げ、質問があるかのような素振りを見せた。だが、何も言わずに中指を立て、相手の方に向けた。

ド・コスタが目を丸くしてドレイパーを見た。兵士が身を乗り出す。

〈いいぞ……〉

ほんの一瞬だけ大尉の注意がそれた隙に、タッカーは持ち上げた手をさっと下ろし、ズボンの後ろポケットを叩いた。武器は奪われたかもしれないが、何の準備もしていなかったわけではない。手のひらがポケットの中の小さなトランシーバーのボタンに当たる。

背後で小型の手榴弾が炸裂した。

ドレイパーの攻撃ヘリコプターを探っていた時、タッカーは破片手榴弾の最後の一個をヘルファイアミサイルのロケットエンジンの推進剤タンク近くに設置しておいた。

〈念のための対策はしておくものだな〉

そのような小型の手榴弾でロケットの弾頭に引火できるとは期待していなかったが、十分な効果は演出できた。推進タンクからガスが噴出し、甲高い悲鳴のような音が鳴り響く。

タッカーは手榴弾が炸裂した時にはすでに行動を起こしていた。見張りの不意を突いて勢いよく立ち上がると、ライフルを腋《わき》の下に抱え込んで引き金を引き、ポーチに向かって乱射した。狙いが定まっていないので、銃弾は建物の側面やポーチの上の屋根に食い込んでいく。それでも、ドレイパーが身を挺《てい》して二人の男——主にド・コスタの方を守ろうとするには十分だった。

大尉も応戦するが、同じように狙いが定まっていない。まずは二人を安全な建物内に避難させることを念頭に置いている。

ドレイパーには反撃に転じる余裕がなかった――フランクも武器を奪い、タッカーに加勢したからなおさらだ。フランクを見張っていた兵士はすぐ近くで仰向けに倒れていた。うめき声をあげていて意識が朦朧としているようなので、頭に強烈なパンチをお見舞いされたのだろう。

二人からの攻撃を受け、ドレイパーは建物内に逃げ込み、扉を閉めた。

タッカーは奪い取ったライフルを手放し、体を反転させた。兵士のベルトに挟まっていたデザートイーグルをつかみ、銃口を相手の顎に当てて引き金を引く。ヘルメットのおかげで頭部が破裂することはなかったものの、それで命が助かるわけでもない。兵士の体が地面に倒れた。

新たな銃弾がタッカーの防弾着の肩に当たり、衝撃で体の向きが変わる。ヘリコプターの周囲にいた兵士たちがこちら側の銃撃戦に気づいたようだ。タッカーは階段の右側に飛び込んだ。フランクはその反対側に身を隠す。

タッカーはすぐ隣の草むらに手を伸ばした。

〈当初の計画に戻るぞ〉

タッカーは盗んだロケットランチャーを構えた。

午前九時四分

モンクは割れたガラスの上に脇腹を下にして横たわっていた。あふれる血が右目に流れ込み、そちら側がよく見えない。拳銃で殴られた頭ががんがん鳴っている。

目の前に立って見下ろしているのはエコンだ。

少し前にこもった爆発音が聞こえ、中尉の視線が扉の方に向いた。エコンの要請に応じて駆けつけた応援の兵士四人も同じ方向を見た。そのうちの一人は外の様子をうかがおうと扉を開けて手で押さえていた。それに続いて立て続けの銃声が病室内にもこだました。

モンクには騒ぎの原因がわからなかったが、それを利用しない手はなかった。武器を奪取しようとエコンに飛びかかった。だが、中尉は油断していなかった——しかも、反応が恐ろしく速かった。エコンに銃床《じゅうしょう》で頭を強打されたモンクは数秒間、目の前が真っ暗になった。

ようやく視界が、少なくとも片目だけ戻り、モンクは上半身を起こして座った姿勢になったところだった。エコンが歩み寄り、シャルロットを脇に蹴飛ばす。銃床を向けた拳銃を持ち上げ、再び殴打しようとする。

モンクは攻撃に備えて片腕を持ち上げ、拳銃を見つめた。両手があればあの武器を奪い取れるだろうかと考える。ＤＡＲＰＡと相談して新型の義手を――毎回のように爆発させないですむ義手を開発してもらう必要がありそうだ。

〈そのためにはまず生き延びる必要があるけれどな〉

エコンが武器を高く振り上げ、不敵な笑みを浮かべながら見下ろした。

モンクは身構えた。これから起きるはずのことに覚悟を決める。

その予想は外れた。

大きな爆発がかまぼこ型の建物を揺さぶり、金属製の壁や窓が音を立てて揺れる。エコンが一歩後ずさりしたが、その視線がモンクから離れることはない。

モンクは笑みを浮かべた。

〈大きな間違いだぞ、この女性蔑視《べっし》主義者め〉

午前九時五分

シャルロットは勢いよく立ち上がった。

爆発の衝撃で金属製の建物内に反響音が響きわたっている。シャルロットはその音が自分の動きを隠してくれることに賭けた。それと、女は脅威に当たらないとして警戒を怠っている相手の思い込みにも。多くの女性と同じように、シャルロットはこれまでに侮辱や軽視、無価値な存在と見なされることなどを散々経験してきた。

今はそれを利用する時だ。

シャルロットはエコンの死角から飛びかかった。手に握っているのは真っ二つに割れたフラスコの上半分だ、シャルロットは手を大きく振り、頸《けい》動脈に狙いを定めて割れたガラスを首に突き刺した。だが、シャルロットがフラスコの破片を引き抜くよりも早く、エコンの肘が脇腹に食い込んだ。肋骨にひびが入り、激しい痛みが走る。吹き飛ばされた体が床に落下し、ガラスの破片の間を滑っていく。

モンクが続けて攻撃を仕掛けようとしたが、エコンは後ずさりしながらそのままベッドに座り込んだ。首に刺さったフラスコには目もくれない。引き抜けばどうなるか、わかっているのだろう。エコンは銃口をモンクに向け、発砲した。銃弾は外れたものの、モンクは脇に飛びのいた。

二発目は外すまいと、エコンが狙いを定める。

あいにく、中尉は女性についての教訓を学ばなかったようだ。彼が座ったベッドには患者がいた。背後から指が接近する。その指が突き刺さったフラスコをつかみ、とがったガラスで喉を横に切り裂いた。

拳銃が音を立てて床に落下した。エコンが両手で傷口を押さえ、あふれ出る血を止めようとする。だが、咳き込んで息を詰まらせるうちに、左右の頸動脈から血がほとばしり、命の灯が消えていく。ベッドの上でその体が斜めに傾くと、命を奪った人物の姿があらわになった。

枕の上に寝かされた赤ん坊のもとに戻っていくのはディサンカだ。

シャルロットはある共通の真実を痛感した。

〈子供が危険にさらされたら母親は黙っていない〉

モンクはエコンの落とした拳銃が床に当たって跳ね返るやいなやキャッチし、武器を確保していた。モンクが扉に向かって発砲すると、ほかの兵士たちが前室に身を隠す。一人がライフルを病室内に向けて乱射した。

「みんな、伏せろ！」モンクが叫んだ。十代の少年にベッドから下りるように合図し、少年が従うと肩を使ってそのベッドを横倒しにする。「身を隠せそうなものを見つけろ！」

シャルロットは姿勢を落としてディサンカのもとに駆け寄り、彼女に手を貸して赤ん坊と一緒にベッドから下ろした。二人を床に寝かせると、モンクにならってベッドを傾け、盾代わりにする。けれども、薄いマットレスと細いフレームだけではあまり身を守る役に立ちそうにない。

銃弾が貫通し、その予感は的中した。

シャルロットはディサンカと一緒に伏せた。

武装した兵士たちが唯一の出入口を見張っているので、身動きが取れない。新たな銃声が起こった。シャルロットはどうにかしてディサンカと男の子を守ろうと、二人に覆いかぶさった。

その時、複数の大きな悲鳴が聞こえた――扉の方からだ。

不思議に思い、シャルロットは盾代わりのベッドの向こう側をのぞき見た。

一人の兵士の姿が視界に入ってきた。後ずさりしながら入口に向かって発砲している。前室から突き出た二本の脚も見えるが、そちらは微動だにしない。開け放たれた扉の向こうから、後退する兵士に対して応戦する銃声が聞こえる。銃弾が兵士の防弾着やヘルメットに当たって跳ね返る。

次の瞬間、高く飛び跳ねた影が兵士の首にぶつかった。

〈ケイン……〉

犬は兵士を床に倒し、その体が動かなくなるまで喉に食らいついて離さなかった。

銃撃戦は終わった。耳鳴りの音を除くとあたりは静まり返っている。シャルロットは固唾をのんだ。別の誰かが前室の窓の下に身を隠しながら建物内に走り込んできた。

「中は安全だ！」モンクが救出者に向かって叫びながら立ち上がった。

シャルロットも頭がふらふらするものの、意を決してベッドの陰から姿を見せた。タッカーが来てくれたものと思っていたが、前室を抜けて入ってきた人物を見て勘違いに気づいた。

ンダエが病室内を横切り、ケインの脇腹を優しく叩いた。「よくやった」

〈エコガードはいったいどこからやってきたの？〉

答えはわからないものの、こんなにもありがたいことはない。シャルロットは後ろを向き、ディサンカに手を差し出した。だが、女性は自力で立ち上がった。アドレナリンの流出で力がみなぎっているのだろう。〈でも、それがあとどのくらい続くだろうか？〉シャルロットはほかの患者たちを見回した。生き残っているのは六人。これでも勝ったのだと受け止めなければならないだろう。

モンクが彼女の視線に気づいた。「全員を森の中に移す必要がある。またこの中に閉じ込められるわけにはいかないからな」

シャルロットにも異論はなかった。病室内での銃撃戦は終わったものの、広場の方からはまだ発砲音が聞こえてくる。戦闘がここまで広がる前に病棟を離れなければならない。

三人は患者たちの移動に最善を尽くした。最も症状の重い患者はモンクとンダエが抱きかかえて運ばなければならなかった。残りの患者たちも衰弱していて、かろうじて歩ける状態だ。

「待って！」シャルロットは呼びかけた。

建物の反対側に向かって走る。すでに機材が運び出された研究室だ。シャルロットはンゴイが置き去りにしていったものをつかんだ。あのうぬぼれた医長は自分の成果でないものは無価値と見なしている。ここに閉じ込められている間に、シャルロットはそれが床に放置されたまま瓦礫に半ば埋もれていることに気づいていた。

シャルロットはフランクのラップトップ・コンピューターを抱えて戻った。

「いい考えだ」モンクが言った。死んだ兵士のバックパックを片手でつかむと中身を床にぶちまけ、シャルロットが手渡したラップトップを中に入れる。モンクはバックパックをシャルロットの肩に掛けた。「任せたぞ」

シャルロットはうなずいた。

三人は患者全員を引き連れて扉に向かった。建物の外に出るとモンクが先頭に立ち、戦闘から距離を置きながら人影のない森を目指す。

建物を後にする前、シャルロットはライフルも回収していた。ディサンカの隣に付き添う。まだ若い母親は赤ん坊を抱きかかえ、おぼつかない足取りで歩いている。病状は明らかに悪化していた。シャルロットにできるのは空いている方の手でディサンカを支えてやることくらいだった。

ようやく森までたどり着くと、薄暗い影の中に入り込む。

「立ち止まったらだめだ」モンクが注意を与えた。

シャルロットもほかに選択肢がないことは承知していた。奪ったライフルをしっかりと抱きかかえる。まだちゃんと持っていることを確認するには、それが唯一の方法だった。両手の感覚はすっかり失われていた。足先からも何も伝わってこない。激しい頭痛で視界が狭まる。緊張と恐怖が症状の悪化に拍車をかけていた。

それでも、後方から聞こえる銃撃戦の音に突き動かされるように、シャルロットは歩き続けた。

午後九時九分

フランクはタッカーとともに油のにおいの混じった煙に包まれてポーチの上でうずくまっていた。入植地の中央広場はさらに濃い煙幕で覆われている。その中心では二機のヘリコプターの残骸がくすぶっていた。周囲には死体が散乱している。その大半は火傷《やけど》を負っていて、最初のロケット弾の炸裂か、またはそれに続いて発生した二機の燃料タンクの爆発によるものだ。

だが、多くの戦闘員がまだ生き残っていた。二人で相手をするには多すぎる。兵士たちが炎と煙の間からフランクたちに向かって発砲した。銃弾が宿泊施設の側面の厚板に命中し、木の柱を貫通し、タッカーが盾代わりにひっくり返したスチール製のビストロテーブルに当たって跳ね返る。二人はその陰に身を隠し、近づきすぎた人影を目がけては発砲するを繰り返した。

「準備はいいか？」タッカーが問いかけた。顔の上半分はゴーグルに隠れている。二人はヘルメットも取り戻していた。

フランクは銀色をした卵大の球体を手のひらで包み、うなずいた。

激しい銃撃戦はこの一分ほどの間に収まりつつあった。生き残った兵士の大半は慎重な行動を取るのが賢明だと判断し、危険の及ばないところまで退却して事態の推移を見守る構えでいる。だが、頑《かたく》なに攻撃を続ける一団が残っており、ポーチに向かって散発的に発砲していた。

タッカーとフランクには膠着状態を何とか打開する必要があった。弾薬の残りが少なくなりつつあるし、ドレイパーが密かに島を脱出するおそれもある。解除コードの入ったUSBメモリを大尉に持ち逃げさせるわけにはいかなかった。

〈すでに持ち逃げしているのでなければ、の話だが〉

「あいつがまだ中にいるか、確かめてきてくれ」タッカーが言った。「そして中に閉じ込めておく。俺はここを死守しながら、隙を見て合流する」

フランクはうなずいた。

タッカーが体を浮かし、ライフルを乱射した。「行け」

タッカーの援護を受けたフランクは低い姿勢で建物の入口まで走った。少しだけ扉を開け、隙間から発煙弾を投げ込む。こもった爆発音が聞こえてから心臓が二回鼓動を打つまで待った後、肩で扉を押し開けて中に飛び込んだ。

外で新たな銃声が鳴り響き、またしても小競り合いが始まる。

屋内から聞こえた二発の銃声が二つの答えを提供した。ドレイパーがまだ中にいること――もう一つは、やつの射撃の腕前が侮れないということ。フランクは息をのみ、床の上を転がった。銃弾のかすめた太腿に焼けつくような痛みが走る。

煙が立ちこめていなかったらかすり傷ではすまなかっただろう。

フランクはなおも床を転がり、扉の近くにあるマホガニー材のサイドボードの陰に隠れた。さらなる銃弾が厚い木材を削っていく。相手は正面の階段の上の踊り場から発砲しているようだ。フランクはタッカーから借りたデザートイーグルを構え、煙でかすんだ内部に向かって闇雲に発砲した――その煙は急速に薄れつつある。

フランクがサイドボードの陰からのぞくと、高い位置を維持したまま上の階の手すりに沿って前かがみの姿勢で走るドレイパーの影が見えた。ケブラーの防弾着で全身をすっぽり包んでいるので、装甲を施した甲羅に潜ったカメみたいに見える。

フランクはさらに二発、発砲した。どちらも外れたものの、一発がド・コスタのオフィスの扉に当たった。大きな金属音が鳴り響いたことから、扉は鋼鉄で補強されているのだとわかる。ドレイパーはすでにノランとンゴイを室内にかくまっているに違いない。

上からの新たな銃声でフランクは陰に隠れた。木の破片が顔面に当たる。

〈いい腕だ……〉

フランクは火が出るような太腿の痛みをこらえながら選択肢を考慮した。ひとまず必要なのは、ドレイパーをこの場に釘づけにして、逃げるのを阻止することだ。タッカーが宿泊施設の正面を制圧してから、二人でドレイパーの相手をして、追い詰め、USBメモリを奪えばいい。

音から判断する限りでは、すでに外の銃撃戦は終わったようだ。

〈あともう少しだけ、踏ん張る必要がある〉

フランクはドレイパーがド・コスタを守るため階上にとどまってくれと念を送った。

木製の階段のきしむ音が聞こえ、大尉がそんな計画とは別の考えを持っていることが判明した。ドレイパーは一階を戦いの場にするつもりなのだ。

〈どうしてあいつは高い場所を放棄して、自分の身を危険にさらすような真似をするんだ?〉

フランクは相手を上の階に押し戻そうと、デザートイーグルを構えた。体を傾けてのぞき込むと、階段をゆっくりと下りてくるドレイパーが見える。フランクの隠れ場所が狙いやすい位置を探しているのだろう。黒い防弾シールドの陰に体を隠している。フランクは顔をしかめた。あの盾は装甲を貫通できるような銃弾でもはねつけることが可能だ。

ドレイパーが場所を確保すると、シールドの陰から武器が現れた。大尉は拳銃に代わってブルパップライフルを手にしていた。通常の銃口の下に一回り大きな銃身が見える。

グレネードランチャーだ。

〈くそっ……〉

これから起きることは阻止できないと判断し、フランクは隠れ場所から飛び出して建物内を転がった——それは絶妙のタイミングだった。大きな発砲音に続いて爆発音が鳴り響く。背後で巨大なマホガニー材のサイドボードが砕け散った。破片が防弾着に降り注ぎ、守られていない部分に突き刺さる。爆発による衝撃でフランクの体はさらに飛ばされた。

頭ががんがんと鳴る中、フランクは床を滑る体にブレーキをかけ、仰向けの姿勢になった。どうにか手放さなかった拳銃を構え、両脚の間から階段の上の方に銃口を向ける。

フランクは立て続けに引き金を引いた。

銃弾はドレイパーの防弾シールドに当たって跳ね返った。大尉は攻撃をしのぎながらブルパップライフルを再び構え、狙いを定めた。

床の上に倒れたフランクには身を隠す場所がない。

その時、踊り場の反対側の窓ガラスが割れて飛び散った。ライフルを発砲しながら窓から人影が飛び込んでくる。

〈タッカー……〉

外での小競り合いが終わった後、宿泊施設内での戦闘が継続中なのを聞いたタッカーは、建物の壁をよじ登ってドレイパーを挟み撃ちにしようと目論んだに違いない。だが、ガラスの割れる音に反応したドレイパーがシールドの向きを変えたため、タッカーの攻撃は阻止された。

しかし、体を反転させた時、ドレイパーの守りに一瞬のスキができた。フランクは装甲を施したカメの弱点に狙いを定めた——引き金を二度引く。一発目は大尉の太腿に命中し、フランクにとってはさっきの傷の仕返しになった。もう一発は相手の膝を撃ち抜いた。

負傷した脚で体を支え切れなくなり、ドレイパーが階段を転がり落ちた。腕から離れたシールドも大きな音を立てて落下する。

タッカーがライフルを構えながら階段を駆け下りた。

フランクも立ち上がり、反対側から敵に接近した。

ドレイパーは二人の間の床にうつ伏せの状態で落下した。タッカーとフランクがすぐ近くまで来ると、大尉はうめき声をあげながら仰向けの姿勢になった。脚から勢いよく血が噴き出ている、一発目の銃弾が大腿《だいたい》動脈を切断したのだろう。

「離れろ！」タッカーが大声をあげた。

脚に気を取られていたフランクは一瞬、反応が遅れた。ドレイパーの手のひらから転がった手榴弾が広がりつつある血の海の中に落ちる。

フランクはすぐに体を反転させ、扉に走った。

〈間に合わない〉

耳をつんざくような轟音とともに、衝撃が襲いかかった。体が浮き上がり、扉に叩きつけられたはずみで木の戸枠が砕ける。呆然《ぼうぜん》としたまま、フランクは振り返った。まだ生きていることが、爆弾の破片で体を引き裂かれていないことが、不思議でならない。

フランクの目に映ったのは煙を縫ってこちらにふらふらと近づくタッカーの姿だった。防弾シールドを握り締めている。タッカーは階段の下に落ちた盾をつかみ、ドレイパーの体と手榴弾を上から押さえつけたに違いない。

タッカーが爆発でできた床の穴のすぐ横に倒れ込んだ。そのまま床の上を転がり、なおも距離を置こうとする。

フランクは友人に駆け寄り、手を貸して立たせた。二人とも足を引きずっている。フランクは腋の下に腕を入れてタッカーを支えた。友人は片方の足にしか体重をかけることができず、もう片方の足首はどう見ても折れているようだし、顔面は血で真っ赤だ。

タッカーが何かつぶやいたが、フランクはまだ耳がほとんど聞こえず、扉までたどり着くと返事をする代わりに首を横に振った。

タッカーが咳払いをしてからもう一度口を開いた。かすれてはいるものの、聞こえるように大きな声を出しながら、煙の立ちこめる後方の残骸を弱々しく指し示している。建物内には骨が散らばり、あちこちにべっとりと血が付着していた。

「例のUSBメモリは入手できないと思うぞ」

午前九時十二分

シャルロットはヤシの木の幹にもたれながら座り込んだ。ずっと動き続けているうえに、午前中からすでに気温が上昇しているにもかかわらず、体が震えて寒気がする。一休みできることにほっとしながら腰を下ろし、木に背中を預けてライフルを膝の上に置いた。

モンクは立ったまま、五十代あるいは六十代と思われる年配の女性をそっと地面に下ろした。女性の頭は後ろに反り返っている。座った姿勢では体を支えることができず、女性は脇腹を下にして寝転がった。

モンクは女性の様子を心配そうに見てから森の方に目を向けた。「ここまで来れば十分だと思う」

〈よかった。どっちみち、これ以上は歩けそうもないし〉

止まるように合図があった時、ディサンカもすぐそばに倒れ込んだ。彼女の両脚は小刻みに震えていたし、両腕はぐったりとして動かない赤ん坊をかろうじて支えている状態だった。地面に座ったディサンカは男の子に覆いかぶさり、全身で守ろうとしている。赤ん坊はまったく反応が見られず、ほとんど呼吸もしていない。もう長くは持たないだろう。

シャルロットは後頭部を木の幹に預けた。頭がずきずきと痛むし、唾を飲み込むのにも苦労するようになってきた。唇を手でぬぐうものの、局所麻酔の注射を打った後みたいに腫れぼったくて感覚がない。

〈あの子を救えなかった。みんなを救えなかった〉

ンダエも自分が抱えていた患者を森の地面に下ろした。二十歳くらいの痩《や》せた男性だ。その若者もシャルロットのように体を震わせていた。頭を両膝の間に垂らした姿勢で座っている。鼻水が流れているが、ぬぐおうという素振りすら見せない。

エコガードは別の若い二人の患者に水筒を手渡そうとした。十代の男の子と女の子だ。だが、二人はンダエから離れようとした。殴られて腫れた顔が怖いのかもしれない。互いに片時も離れずに支え合っているので、シャルロットは二人がきょうだいかもしれないと思った。あるいは、たまたま居合わせた怯えた子供二人で、恐怖をこらえるために寄り添う相手が必要なのかもしれない。

モンクがシャルロットの隣にしゃがんだ。その目は入植地の方を見つめている。少し前の爆発音は全員が耳にしていた。「誰かがまだド・コスタの部隊と戦っている」

「タッカーとフランク……」シャルロットはつぶやいた。

〈ほかに誰がいるというの？〉

モンクがうなずき、ほかの人たちを見回した。全員が森の中でぐったりと座っている。

モンクが拳銃をしっかりと握り直した。「ここなら敵に見つかる心配はまずない」

シャルロットはモンクが投げかけようかためらっている質問を理解した。「二人を助けにいって。ンダエと一緒に」ライフルを持ち上げ、ケインの方を顎でしゃくる。「私たちがここを見張っているから」

モンクはうなずいて感謝を示すと、ンダエと短い会話を交わした。銃声が森の中にまでこだまする。モンクがもう一度、シャルロットの方を一瞥《いちべつ》した。気持ちが変わっていないかの、最後の確認だろう。

シャルロットは二人を追い払うかのように手を振った。「行って」

二人がその場を離れた。

シャルロットは地面を踏みしめる小さな靴音が聞こえなくなるまで耳を澄ましていた。痛む目をこすってから、背筋を伸ばして改めて木にもたれかかる。思うように体が動いてくれない。ライフルを膝の上に置くが、武器の銃床に添えた両手の震えが止まらない。

それが病気のせいなのか、あるいは単なる疲労のせいなのかはわからなかった。最後に睡眠を取ったのがいつのことなのか思い出せない。

　ほかの患者たちも程度の差はあるものの、全員がぐったりして反応の乏しい状態にある。

　患者たちを見守りながら、シャルロットはまぶたが下がりそうになるのを必死にこらえた。恐怖と闘っているにもかかわらず、ふと気づくとうたた寝をしていて、顎が胸にくっつきそうになっていた。あわてて頭を戻すと、再びひどい頭痛が起きる。シャルロットは両手に目を落とした。何も持っていない。ライフルは足もとに転がっていた。感覚の失われた指が落としてしまったのだ。

　シャルロットは武器を再びつかんだ。

〈ンダエに残ってもらうべきだったかもしれない〉

　別の見張り役に目を向ける。ケインはそばを離れず、ずっと立ったまま、耳をぴんと立てている。シャルロットは手を伸ばし、脇腹をぽんと叩いた。

〈私たちには彼がいる〉

　ケインに触れた時、シャルロットは犬の体が震えているのを感じた。小さなうなり声も聞こえる。手のひらの下の毛も逆立っていた。ケインの視線は施設ではなく、薄暗い森の奥に向けられたまま動かない。うなり声が相手を威嚇する低い声に代わった。

〈誰かがあそこにいる〉

　シャルロットはライフルを握り直そうとしたものの、指が言うことを聞いてくれなかった。指に力が入らないせいで、表面に油が塗ってあるかのように滑るライフルをうまくつかめない。シャルロットは立ち上がろうとしたものの、体を動かそうとしても手足が震えるばかりだった。

シャルロットは信頼のおける唯一の武器を見た。

「ケイン……」

犬がシャルロットを見た――すぐ森に視線を戻す。

シャルロットは力を振り絞って腕を持ち上げ、指差した。緊急時に備えてタッカーから教えてもらった指示を使う。

「守って」

27

四月二十五日　中央アフリカ時間午前九時十五分
コンゴ民主共和国　ベルカ島

ノランはバリケードを築いたオフィスに身を隠し、セキュリティカメラのモニター群に映る映像を監視していた。ひどい日焼けをした時のように顔がほてるのを感じながら、モニターに向かって身を乗り出す。施設の状態に目を配るが、いまだに作動しているのは数台のカメラだけなので、入植地のおおまかな様子しかつかめない。

教会の尖塔《せんとう》の先端から撮影した映像では、この島からの脱出手段として予定していた二機のヘリコプターが残骸と化して煙を噴き上げていた。いまだに銃声が聞こえてくるが、広場の付近が中心のようだ。ただし、先ほどの二発の大きな爆発音でまだ耳鳴りが収まらない。その時の衝撃で宿泊施設全体が揺れた。

それ以降、ドレイパーとの連絡がつかなくなった。

いた。

手前を落ち着きなく歩いている。両腕を体の前で組み、目には恐怖がありありと浮かんで

ノランはンゴイに視線を向けた。研究者はバルコニーを封鎖した鋼鉄製のシャッターの

「どうすればいいのですか?」鼻にかかった声が後ろから必死に問いかけた。

「ここから脱出する」ノランは答えた。

「どうやって?」

ノランはまだ作動している一台のカメラからの映像に目を向けた。川面のきらめき、細長いドック、そして装甲を施したクルーザーが映っている。全長二十メートルの船体は鋼鉄の装甲板に覆われ、窓はすべて防弾仕様だ。あの船には多くの政府要人を乗せていて、アメリカ合衆国の大統領が乗船したこともある。このような不安定な地域においてはクルーザーに要塞のような防御が欠かせない。自ら船を操縦して川を航行していた時、反乱軍からロケット弾の攻撃を受けたことがあるが、そんな装備のおかげで命拾いをした。

〈今回もあの船が私の身を守ってくれるだろう〉

ノランは監視カメラの脇のボタンを押した。机の後方の鋼鉄で補強したゼブラウッドのパネルが開き、その奥に秘密の階段が通じている。階段を下りた先は建物の裏手にあるカムフラージュされたガレージで、そこには電動式の四輪バギーが停めてある。それを使えば中央広場での戦闘を避けてドックまで短時間で行ける。

ンゴイが目を丸くして駆け寄ってきた。期待に満ちた表情を浮かべている。

秘密の出口の存在を知っているのはほんの一握りの人間だけしかいない。装甲の施されたクルーザーと同じように、秘密の脱出ルートを確保しておくことも万が一に備えての賢明な措置だ。

ノランは何としてでも生き延び、この傾きかけた船を立て直すつもりでいた。今ならまだ、この病気を自分に有利なように利用できる。ＣＥＯまで上り詰めることができたのは無用なパニックを起こしたからではない。ノランはネイサン・ロスチャイルドによる格言を常に肝に銘じていた。「通りが血に染まっている時こそが買いのチャンスだ」

ノランは広場のヘリコプターの残骸と、その周囲でばらばらに吹き飛ばされた死体の映像に視線を向けた。数式はよりいっそう難しさを増したものの、必ず解き明かしてみせると心に決める。

ノランは部屋を出ようとモニターから顔を離した。

その場を後にしかけた時、コンピューターからチャイムの音が聞こえた。驚くと同時に好奇心を覚え、ノランは机に戻ってビデオ通話に応答した。キーボードを叩くと、見慣れた顔が画面に現れた。ベルギー人の軍事技術者のウィレム伍長だ。若い伍長はコンピューターに覆いかぶさるような姿勢で、顔には汗が滴っているが、まだ持ち場を離れていなかった。もっとも、通信施設はコンクリートブロック製で、それ自体が要塞のような存在でもある。

「何かあったのか、伍長？」

「はい」ウィレムがかすれた声で答えた。「不審な通信を新たに検知したら連絡を入れるようにとのことでしたので」

ノランが思い出すまでにたっぷり一呼吸の間があった。「ジャングルからの衛星通信の件だな」

「再びキャッチしました。さらに東の方角からです。そこで解読プログラムにかけてみました。中国人のハッカーが売りつけてきたものを使って」

「それで？」

「失敗に終わりました」

ノランはその答えを意外とは思わなかった。〈やはり中国人は信用できない〉

「ですが、その不十分な解読結果をもとに私がさらに作業を進めたところ、ある一つの単語を突き止めることに成功しました」

「その単語というのは？」

「『治療薬』です」

ノランははっとして拳を握り締めた。自分に差し向けられた兵力が高度な技術を有していることから、単なる傭兵《ようへい》ではないということは確信していた。それと同じように、ジャングルの奥深くから発せられた不審な信号がここへの攻撃と関連しているのではないかという気がしてならなかった。そのような未知の変数は排除しておく必要があった。

今となってはなおさら、その必要性が高まる。

別の一派を優位に立たせるわけにはいかなかった。そのたった一つの単語――「治療薬」――がそこまで重要な意味を持つのかどうかはわからない。だが、ノランがリスクを放置することは決してなかった。リスクを分散できる状況にあるのならば。

「どうしましょうか?」ウィレムが訊ねた。

「その信号の座標をこっちに送ってくれ」

「すぐに送ります」

その直後、画面上に緯度と経度を示す数字が表示された。

「ありがとう、ウィレム。確認が取れるまで、そのまま待機していてほしい」

「かしこまりました」

冷ややかな満足感を覚えつつ、ノランはキーボードに素早く入力した。少し前のウィレムからの報告を受けて、ノランは緊急対応策を立てておいた。それが必要になるかもしれないと考えたからだ。大型の無人航空機――ロシア製のS-70オホートニクが、カムフラージュされた滑走路で準備を整えて待機している。二年前、機体に搭載されていた兵器をすべて取り外したのは、ある爆弾を運搬する道具として使用するためだった。

以前にノランは七発のＭＯＡＢを入手したが、地下に埋めたのはそのうちの六発だけだった。七発目をその無人航空機に組み込んだ。ノランは破壊兵器が最も必要とされる時に、どんな場所にでも運べるようにしておきたかったのだ。

〈それが今だ〉

ノランは座標を滑走路にいる無人航空機のオペレーターに送信した。それが終わるとあとは待つだけだ。指先が落ち着きなく机を叩き続ける。

ウィレムもノランとオペレーターの間の通信をモニターしていた。そもそもこの緊急対応策を立案するうえで力になってくれたのが彼だった。それが現実のものになろうとしている今、無線技士は表情をこわばらせていて、唇をきつく結んでいる。だが、彼はまだ若い。ノランのように必然性を受け入れることで精神が鍛えられていない。時間がたてばそれも変わる。ウィレムは会社にとって大切な人材になるだろう。

ようやく新たな画面が明るくなり、滑走路からの確認が入った。それと同時に予定発射時刻と推定飛行時間も表示される。画面の隅ではカウントダウンが始まっていた。

状況に満足すると、ノランはもう一方の画面に注意を戻した。「ありがとう、ウィレム。さあ、安全な場所に移動したまえ。私のクルーザーまで来るといい」

「はい、ありがとうございます」

ビデオ通話を終えると、ノランはカウントダウンが続くタイマーの数字を眺めた。

〈あと二十五分〉

その後は数式から未知の変数が排除される。

午前九時二十一分

タッカーは通信施設の鋼鉄製の扉の右側にうずくまっていた。周囲には煙が充満しているが、煙は姿を隠す助けにもなる。まだ数人の兵士が残っている可能性はあるものの、今のところ戦闘は停止していた。

タッカーは壁に肩を押し当て、折れた足首に体重をかけないようにした。バックパックに入っていた粘着テープ一巻きをすべて使い、フランクがそれなりにしっかりした添え木を当ててくれた。

そのフランクは鍵のかかった扉を挟んだ反対側で、ライフルを手にしゃがんでいる。

細い窓から中をのぞくことができた。技術者が一人――無線用のヘッドセットを装着した若い男が機器を操作している。中には入れないものの、会話の断片を聞き取ることはできた。内容はジャングルの奥深くからの暗号がかかった通信と、治療薬の可能性に関するものだった。

タッカーはフランクに小声でささやいた。「きっとグレイたちのことだ」ド・コスタが何らかの対抗策を立案していたのは間違いない。

「下がれ」フランクが警告した。

窓をのぞくと、無線技士が扉に駆け寄ろうとしていた。ダッフルバッグを抱え、制御盤の脇に置いてあったコンバットショットガンをつかんだところだ。

フランクが向かい側の壁に体を押しつけた。タッカーもそれにならう。スライド錠のこすれる音とともに扉が引き開けられた。無線技士が外に顔を突き出す。タッカーはライフルの銃床を相手の顔面に叩きつけ、建物内に押し戻した。フランクもデザートイーグルの銃口を男の胸に向ける。無線技士はダッフルバッグと武器を離し、両手を上げた。

「ニート・シュヒテン……」男が懇願した。

負傷した脚を引きずりながら、タッカーはライフルで相手を部屋の奥に追いやった。フランクが扉を閉める。

「英語を話せるか?」タッカーは訊ねた。

男は何度も大きくうなずいた。「ヤー……ああ」

「名前は?」

「ウィレム……ヤン・ウィレム」

タッカーはまだ明るいモニターを指差した。急いでこの場を離れようとした無線技士は電源を入れたままにしていた。あるいは、妨害電波を切らないようにするためかもしれない。あるモニターにはデジタルの地図と十字のカーソルが表示されていて、飛行機の形をした小さな記号が点滅していた。

「おまえはド・コスタと連絡を取っていたな」タッカーは詰問した。「何を企んでいる？」

ウィレムはためらいを見せたが、フランクが大型拳銃の銃口を向けて協力を引き出そうとした。「教えろ」

ウィレムはごくりと唾を飲み込んでからうなずいた。この数時間に起きたことを手短に伝えた後、ド・コスタの緊急対応策について明かした。「爆弾が座標の地点で爆発するのは——」無線技士はカウントダウンを続けるタイマーに視線を向けた。「二十二分後だ」

画面上で小さな飛行機のアイコンが動き始めた。

フランクが腕時計を確認した。「九時四十五分頃だな」

タッカーは煙を噴き上げるクレーターと化した鉱山を思い浮かべた。ウィレムを通信機器の方に突き飛ばす。「この一帯で妨害電波を発しているタワーをすべて遮断しろ」

「できない。ここからでは無理だ」

タッカーはいらだちで顔をしかめた。「それなら、島のタワーの電源を切るんだ」

〈それだけで十分かもしれない〉

ウィレムは操作盤の方を向き、スイッチを切り替えた。「切った」

タッカーは衛星電話を取り出した。グレイに知らせなければならない。衛星電話を持ち上げ、電波を探す。太いアンテナをあちこちに向けるものの、衛星からの信号をまったく受信できない。

タッカーは大声で悪態をついた。

「待て」フランクがモニターに顔を近づけた。デジタルの地図上をゆっくりと移動する赤い飛行機のアイコンを指差す。「これはリアルタイムのデータだ、そうだな？　カウントダウンと同じように」

ウィレムがうなずいた。

フランクが無線技士の顔に拳銃を向けた。「つまり、おまえには外部との通信手段がある。妨害電波に邪魔されることなく通信するコードを知っているな？」

ウィレムはそんな質問を受けたことに驚いた様子だった。「もちろん。私はここの主任技術者だ」

フランクはタッカーの方を向き、大きく目を見開いていた。「ということは、外と連絡を取ることもできる」

タッカーはその場に凍りついた——フランクから知らされた事実に驚いたためではない。タッカーは衛星電話を使ってゴーグルの位置を調整した。この島の妨害電波が遮断された時点で、ケインのカメラから送られてくる映像のちらつきや長時間の途絶は止まっていた。鮮明な映像が表示されている。そこに映っているものを目にして、タッカーは心臓が止まりそうになった。

〈まずい……〉

「タッカー？」フランクが歩み寄った。「何か――？」

タッカーはシグマ司令部に通じる短縮ダイヤルを押し、衛星電話をフランクに押しつけた。「この番号だ。相手はクロウ司令官。彼にすべてを伝えろ」タッカーは扉の方を向いた。「FARDCをこの島に送り込んでもらえ。グレイに伝えてもらえ」

「タッカー！」フランクが背中に呼びかけた。

説明している時間はない。

タッカーはライフルを投げ捨て、無線技士のショットガン――モスバーグ930タクティカルをつかんだ。12ゲージのセミオートマチックには八発の散弾が入っている。

〈これで十分だといいんだが〉

痛みが麻痺するほどのパニックに陥りながら、タッカーは片足を引きずって扉の外に飛び出した――そこは銃撃戦の真っ只中だった。

タッカーは姿勢を落とした。外では行く手を遮るかのように銃弾が飛び交っている。残る最後の三人と思われる兵士が木々に向けて銃を乱射していた。森からも反撃がある。一人の兵士が顔面を撃たれて倒れた。ほかの二人が背を向けて逃げていく。

森の中から二人が姿を現した。

モンクとンダエだ。

タッカーは二人に駆け寄った。「こっちだ！」二人のもとに達しても、立ち止まらずに進み続ける。タッカーは通信施設の方に向かって手を振った。「フランクを頼む！」

「どこに行くんだ？」モンクが後ろから大声で呼びかけた。

〈時間がない……〉

午前九時二十四分

ケインは木々を縫って走る。絶対に止まらない。銃声が後ろから追いかけ、銃弾が葉を切り裂いて樹皮を砕く。目の奥では受けた指示が輝き続けていて、心に焼きついている。

〈守って〉

それをまっとうする。

弱って身を寄せ合っている人たちがいる場所は、今ではほるか後方だ。少し前、ケインはあの機械音とこもった金属音を耳にした。ガンオイルと電気のにおいも察知した。ケインはその危険を認識した。それをおびき寄せるため、ケインは森の奥に走った。

今も体と体温とうなり声を利用して、ハンターたちに後を追わせている。彼らはあちこちにいる。数も多い。ケインはジグザグに走り、後戻りし、円を描きながら、すべての相手を引き寄せ、脅威を引き離す。

そして今、ケインは自分の罠《わな》にはまっている。

相手が四方から接近する。あらゆる方向から迫る。

ようやく銃弾から逃れ、薄暗い影に走り込み、ブレーキをかける。感覚を研ぎ澄まして周囲をうかがう。動物の糞《ふん》、湿った土、濡れた葉、腐った木のにおい。そこに覆いかぶさるように燃える油のにおいが漂う。あらゆるところに漂っている。機械音がまわりの世界を満たす。

ケインは百戦錬磨の兵士だ。

真実を悟る。

再び走り出すこと、それは死を意味する。

疲れ果てていて、息づかいは荒い。銃弾がかすめた脇腹から熱い血がしみ出る。警戒を緩めることなく、うずくまった姿勢になる。この場にとどまり、危険を引き寄せなければならない。守らないといけない人たちから危険を引き離さなければならない。

ハンターたちが光と火力を伴い、距離を詰める。

その脅威に首筋の毛が逆立つ。

それでも、ケインは動かないつもりだ。

午前九時二十五分

タッカーはショットガンを両手で抱え、苦痛をこらえながら森の中を走り抜けていた。痛めた脚を引きずりながら、もう片方の脚で懸命に体を前に進める。一歩前に踏み出すたびに痛みが爆発し、心臓の激しい鼓動と合わせて火の出るような苦しみのリズムを刻む。

低い枝は払いのけ、木の幹にぶつかりながらも走り続ける。その間、意識の半分を進路に、もう半分をゴーグルに表示されたケインの発信器の位置を示す針に向ける。少し前のこと、タッカーは追跡と銃撃を受けながら木々の間を疾走し続けていたケインが、動きを止めたことに気づいた。相棒のカメラのサーマルセンサーから、かなりの数の過熱したQ-UGVがケインを追っていると判明していた。その正確な数を突き止めるのは困難だった。ケインのまわりのあちこちにいて、あらゆる方向から迫っている。

〈こんなにも多くの……〉

兵士たちは退避中に、ロボットドッグも島の外に運び出そうと一カ所に集めておいたのだろう。銃撃戦が始まると、そのすべてを森の中に放ったに違いない。自分たちが逃げる時に少しでも有利になると判断したのかもしれない。

濃いオレンジ色の輝きがケインの居場所に接近する。

〈絶対に間に合いっこない〉

それでも、タッカーは助けを差し伸べなければならなかった。トランシーバーを取り出し、ケインの弾帯を制御するボタンを探す。その中の一つを押し、破片手榴弾を投下した。ケインが包囲網から逃れるにはそれで十分なことを祈りながら。

前回と同じように。


ケインは胸骨のすぐ下での揺れを察知する。耳が投下された音をキャッチする。銀色の塊が脚の内側に当たり、体の下の濡れた葉の上に落下する。

それは相棒が一緒だという証《あかし》だ。そう思うと心が落ち着き、共に過ごした日々を思い出す。皿から分け与えてもらった肉のかけらの味。隣に寝転がった温かい体のぬくもり。明るい太陽の下で放り投げた赤いボール。自分の体臭と同じくらいに身近な存在となった汗くさいにおい。

頭の奥では心臓の鼓動を数える。一つリズムを刻むごとに、炎と爆発までの残り時間が減っていく。

自分が何をしなければならないかわかっている。

今でも指示が明るく輝いている。

〈守って〉

たとえ一体でもハンターを逃がすわけにはいかない。ほかの人たちのところに戻れば、それが脅威になる。ここを動いてはならない。そのことを認識し、ケインは銀色の球体の上に体を重ねる。

これから起きるはずのことを受け入れる。遠くから大きな銃の低い発砲音が聞こえる。

それでも、ケインは動かない。

自分はいい兵士だ。

それよりも重要なのは……

自分はいい子だ。


タッカーはゴーグルのサーマルセンサーを通して、右手に四角いオレンジ色の輝きがあることに気づいた。モスバーグの狙いを定め、引き金を引く。Q-UGVが粉々になって吹き飛んだ。タッカーはスピードを落とさなかった。木々の中を疾走する間も、頭の中でカウントダウンが続く。

〈十秒……〉

森の中にあるそのほかの輝きは、まだ多くのロボットドッグが存在していることを示す。あちこちに光がある。優に十体は超えているだろう。ショットガンにはあと六発しか残っていない。

〈九秒……〉

モーラーマイクを通じて無線で指示を送る。「動け、ケイン。今すぐに！」

だが、この前と同じように、犬は指示を拒んでその場を動こうとしない。別の指示に従っているのは間違いない。ケインは闇雲に指示に従うのではなく、自分の本能を信じて優先順位をつけるように教わっている。

また、ケインはかなり頑固な性格でもある。

〈八秒……〉

タッカーは絶対にケインを見捨てまいと、脚を引きずったり飛び跳ねたりしながら進み続ける。木々の間から銃声が鳴り響く。銃弾が防弾着に命中する。タッカーは体をひねり、姿を現したQ-UGVに狙いを定める。

モスバーグの引き金を引く。散弾がロボットドッグの脚を砕く。その衝撃でQ-UGV

がひっくり返る。銃架はなおも発砲を続けていて、銃弾が頭上の林冠を切り裂いていく。

〈七秒……〉

全身が燃えるような痛みに包まれる中、タッカーは速度を上げる。葉が顔を叩く。枝がむき出しの皮膚を傷つける。それでも、タッカーは前に進み続ける。

〈六秒……〉

再び発砲し、別のQ-UGVが吹き飛び、目の前の邪魔がいなくなる。

〈五秒……〉

「ケイン、いいから動け。頼むから……」

〈四秒……〉

煙にかすんだ暗がりから新たな輝きが現れる。丸みを帯びた輝き。タッカーはその形状を知っている。それが意味するのは帰る場所。夜に輝く明かりのように。

〈三秒……〉

右手と左手からほかの形が接近する。ロボットドッグの銃架からタッカーに向かって銃弾が放たれる。姿勢を落とすが、応戦はしない。そんな時間はない。

〈二秒……〉

シダの大きな葉を払いのける。その先には草むらに半ば埋もれたケインがいる。犬の黒い瞳がタッカーを見て輝く。しっぽを振って最後の挨拶を送る。

〈一秒……〉

タッカーは頭から突っ込む。時間の流れがゆっくりになり、静止する。この瞬間が永遠に続けばいいのにと思う。それでも、タッカーはできる限り受け止める。

〈俺たちは一緒だ——最後の最後まで〉

タッカーがケインをつかんだ時、手榴弾が炸裂した。

午前九時二十七分

通信施設の中にいたフランクは、森の中からとどろいた大きな爆発音に顔をしかめた。

〈今のは何だ？〉

モンクと協力してシグマの司令部への緊急の通信をちょうど終えたところだった。迫りくる脅威をグレイに知らせてもらう時間をクロウ司令官に与えるため、できるだけ手短に伝えた。司令官はコンゴ民主共和国の軍に連絡を入れ、島にヘリコプターを派遣することも約束してくれた。

フランクは扉を見張っているンダエのもとに歩み寄った。モンクはウィレムに武器を向けている。その前に立て続けに響いたショットガンの発砲音も全員が耳にしていた。フランクは南東方向に立ち昇る煙を指差した。

あれはタッカーの居場所を示しているに違いない。

「君がシャルロットたちを残してきたのはあの近くなのか？」フランクはンダエに訊ねた。

〈タッカーは彼女たちを助けに向かったのだろうか？〉

「いいや」エコガードは南の方角を指差した。「ほかの人たちはあのあたりにいる」

フランクは眉をひそめた。

〈それなら、あの爆発は何を意味するんだ？〉

午前九時二十八分

タッカーはケインを持ち上げ、しっかりと抱きかかえた。視界はきつく縛った結び目のように狭まっている。頭ががんがんする。耳に聞こえるのは単調な一音だけだ。血が顔面から喉を伝って流れている。血の味がするし、血のにおいもする。

手のひらを顔に当てると、とがった破片がいくつも刺さっていた。指先が頬に開いた穴にすっぽり入った。

それでも……

〈俺は生きている〉

タッカーはケインのケブラーのベストを手のひらでさすった。

〈頼む……〉

タッカーはふわふわの耳をつかみ、鼻先のひげに触れた。その時、突き出た舌が指先の血をなめた。

〈よかった……〉

タッカーははあはあと激しい息づかいのケインを抱きかかえたまま、うめき声をあげつつ上半身を起こした。相棒の口から漏れる訴えかけるような鳴き声が、頭の中の轟音を切り裂いて聞こえてくる。

〈ああ、そうだな……だが、俺たちはうまくやったよ〉

とはいえ、まだ危険を脱したわけではない。タッカーは爆発が起きた周囲を見回した。木や茂みから吹き飛ばされた葉が散乱している。枝が斜めにぶら下がっている。タッカーはぎりぎりのところで手榴弾から逃れることができた。防弾着のおかげで、それと身を挺してケインを守ったことで、二つの命が救われたのだ。

接近中だった四体のQ‐UGVは爆発の衝撃をまともに浴びていた。倒れたロボットドッグからは煙が上がり、火花が散っている。一体は高く飛ばされ、レッドシダーの枝に引っかかっていた。

タッカーは周囲を見回した。まだ生き残りがいるかもしれない。いるとしても、爆発でセンサーがおかしくなっているかもしれない。

はっきりと言えることは……

「ここから脱出しないといけないな」

再びケインが鳴き声をあげた。聴覚が少しずつ戻ってきたので、さっきよりも大きく聞こえる。タッカーは相棒を立たせて移動を開始しようと、体を動かした。残ったロボットドッグが再びあたりを嗅ぎ回らないとも限らない。

タッカーは両膝をついた姿勢になったものの、ケインは脇腹を下にして横たわったままだ。依然として息づかいは荒く、舌をだらりと出している。痛みをこらえる目はうつろで、どこか遠くを見つめている。

「ケイン……」

その時、タッカーははっとして心臓が止まりそうになった。

〈何てことだ、まずいぞ……〉

ケインの前足から噴き出る血が地面を赤く染めていた。片方の足はぐちゃぐちゃで、骨が見えていて、皮膚と腱でかろうじてつながっているだけだ。

タッカーは片手でケインの関節をしっかりと押さえ、出血を止めようと、意志の力でケインの命を体の中に押しとどめようとした。もう片方の腕で相棒を抱え上げると、まだ残っているとは思ってもいなかった力があふれ出てくる。タッカーはおぼつかない足取りで爆発地点から離れた。ゴーグルをなくしてしまったが、帰り道はわかっている。

タッカーはもっと急がなければと思いながら懸命に森を抜けた。足首が悲鳴をあげ、無数の切り傷から出血し、足を踏み出すたびに手榴弾の破片が太腿や肩に深く食い込む。息切れがして呼吸もままならない。小さな点にまで狭まった視界の中で、なおも入植地を目指す。

足もとがふらつく。つまずいてケインを落としてしまいそうになる。折れた前足から手を離してしまった。再び血が噴き出すが、手でしっかりと押さえ直す。握力が衰えつつある手よりもましな止血方法を探さなかった自分を責めるが、ケインにそんな時間の余裕があったかどうかわからない。

どうにか歩き続けるタッカーの前に、森が果てしなく広がる。

〈道に迷ったのか？〉

その時、前方で何かが光った。タッカーは施設の建物が近くにあることを示す光であってくれと祈った。ところが、視界に現れたのは一体のロボットドッグ――タッカーたちに向かって高速で接近してくる。獲物を仕留めようと銃架が回転した。

タッカーは相手に背中を向け、なおもケインを守ろうとした。大音量の銃声がとどろく。タッカーは銃弾が食い込む衝撃に身構えた。

いつまで待っても衝撃はやってこない。

肩越しに振り返ると、銃口から煙を吐くライフルを手にしたモンクとフランクが駆け寄ってきた。銃弾で複数の穴が開いたQ-UGVは横倒しになっていて、脚がむなしく空回りしている。

タッカーは踵《きびす》を返し、二人に向かって走った。フランクに体を預け、ケインを手渡す。

タッカーは膝から崩れ落ちた。「彼を助けてやってくれ……」

フランクが犬を両腕で抱きかかえた。かつての従軍獣医はすぐさまちぎれかけた脚に気づき、しっかりと押さえた。「かなりの出血だ」

〈ケインだけじゃない……〉

タッカーのまわりの世界が傾き、スローモーションの映像に入り込んだかのように体が倒れていく。それに合わせて周囲が暗くなる。それでも、タッカーは決してケインから視線を外さなかった。その時ようやく、タッカーはフランクの腕の中でケインがぐったりしていることに気づいた。黒い瞳はまばたきすることなく遠くを見ている。長く垂れた舌の色は真っ青だ。

〈ケイン……〉

フランクの最後の言葉を耳にしながら、意識が薄れていく。

「彼は息をしていないぞ」

28

四月二十五日　中央アフリカ時間午前九時二十九分
コンゴ民主共和国　イトゥリ州

「あの木はあなたの友人を溺れさせてしまったのでは？」ベンジーが訊ねた。

そんな疑問を抱くのも当然だった。コワルスキはもう十分以上も浮かび上がってこない。体と同じく大きな肺の持ち主だが、そこまでは大きくない。グレイはつま先立ちになり、うごめく青白い根や小刻みに震えるとげの奥をのぞき込もうとした。

向こう側では母樹のうろが銀色の輝きで揺らめいている。水面は鏡のように穏やかになっていた。コワルスキがここからは見えない池のどこかに浮かび上がり、息継ぎができたのかどうかはわからない。池の両端は幹の亀裂から見える範囲のさらに先まで広がっていた。

グレイは不安を覚えてティエンデを見た。クバ族の老人は杖に寄りかかって立っているだけだ。ファラジがすぐ隣に付き添っている。老人のまぶたは閉じかかっていた。朝の長時間の移動が体にこたえている様子だ。本人の言葉を信じれば百歳を超えているというのだから無理もない。

それでも、ティエンデはグレイの視線に気づいた。「彼女が彼を選んだのなら、しっかりと守ってくれる」

その言葉が呼び水になったかのように、輝く水面が盛り上がったかと思うと、まばゆい噴水に変わった。それとともに絡み合う根に高々と持ち上げられたコワルスキが姿を現した。根の間で必死にもがいている。大男が水を吐き出し、咳き込み、また水を吐き出した。鼻の穴からも唇からも水があふれ出てくる。

根の塊がコワルスキを池のほとりまで運び、木の裂け目の外で下ろした。大男は四つん這いになり、さらに大量の水を吐き出した。

「どうやら終わったようだ」ティエンデが言った。

〈確かにそのようだな……〉

コワルスキが座った姿勢になり、苦しそうに何度かあえいだ後、大声で罰当たりな言葉を吐いた。ようやく立ち上がる。「あんなのは二度とごめんだ」

グレイは呼びかけた。「大丈夫か?」

ベンジーも叫んだ。「気分はどう?」

コワルスキが顔をしかめた。「溺れたネコになったみたいだな。ほかにどんな気分だと思うんだよ?」大男はぶつぶつ言いながら唾を吐いた。「不凍液とカビが混ざったような味だ。しかも、傷口にひりひりとしみるし」

コワルスキがよろよろと歩きながらこちらに向かってきた。

グレイは腕を持ち上げ、大男の後ろを指差した。「水筒に入れないと！　あの水のサンプルが必要なんだ！」

コワルスキはこれ見よがしにため息をついた。あの池に戻りたくないと考えているのは一目でわかる。それでも、大男はベルトから水筒を外して引き返そうとした。

あいにく、もう一方の当事者は今回の件がすべて終わったと考えていた。

コワルスキが再び木の中に入ろうとすると、中の根が怒ったコブラのように鎌首をもたげ、鋭いとげを突き出して行く手をふさいだ。

コワルスキが尻込みした。「おっと、何だか無理みたいだな」

「やるだけやってみろ！」グレイは叫んだ。

コワルスキがにらみつけた。「だったらおまえがこっちに来てやってみろよ！」

グレイはティエンデの方を向き、何とかしてほしいと訴えようとした。

だが、グレイが言葉を発するよりも早く、ポケットに入れてあった衛星電話が振動して着信を知らせた。グレイは衛星電話を取り出した。さっきペインターに連絡を入れた後、バッテリーを外さないでおいたのだ。司令官はグレイたちが治療薬を入手した後のヘリコプターによる脱出手段の調整中だった。盆地を見下ろす尾根の岩がむき出しになった地点に迎えが来る予定になっている。果てしなく続くジャングルの切れ目はそこだけしかない。

グレイは司令官が連絡を入れてくれたことに安堵した。コワルスキの方に視線を向けると、まだ水筒を手にしたまま立っている。この調子だと迎えのヘリコプターの時間を遅らせる必要がありそうだ。

グレイは衛星電話を顔に近づけ、回線をつないだ。「クロウ司令官、こちらは――」

ペインターがその言葉を遮った。切迫感を伴った声だ。「グレイ、君たちはそこを離れろ。今すぐにだ。無人航空機が君たちの現在の座標に向かって飛行中で、ＭＯＡＢを搭載している。爆発で周囲一・五キロ以内のすべてが破壊される」

グレイは衛星電話をきつく握り締めた。「到着予定は？」

「十五分後、それよりも短いかもしれない」

グレイはコワルスキと空っぽのままの水筒を見た。「でも、まだ治療薬を入手できていません」

「そんなことはどうでもいい。すぐに電話を切ってそこを離れろ」

回線が切れた。

コワルスキはにらみつけたままだ。「今度は何だよ？」

グレイは戻ってくるよう手招きした。何万年もの間、ずっと生き続けている木を説き伏せている時間などない。「そっちはもういい！」グレイは叫んだ。「走れ！」

コワルスキはうれしそうにその指示に従った。それでも、グレイたちの方にどたどたと駆け寄りながら大声で問いかける。「なぜだ？　どうしてそんなに急いでいるんだ？」

「爆弾だ！　こっちに向かっている。十五分後に爆発する！」

コワルスキが悪態をつき、速度を上げた。外側の根が開いて道を空けるが、コワルスキが通り過ぎると再び閉じる。グレイたちのもとにやってきた大男は立ち止まり、ベンジーの胸を指でつついた。「五十ドル払ってもらうからな」

ベンジーがきまり悪そうな表情でグレイを見た。「今回の件が片付くまでに誰かが僕たちを爆弾で吹き飛ばそうとするかどうかで、五十ドルを賭けたんだ」

「そんな賭けに乗るべきじゃなかったな」グレイはベンジーとファラジを黒い根ととがったとげから成る障壁の方に押した。

申し訳ないことをしたと思いつつティエンデの方を見ながら、一緒に来るよう合図を送る。

老人は取り乱した様子だが、どこか観念しているようにも見える。

グレイは全員を移動させた。根の下の狭い通路はさっきほどの脅威ではなかった。木でできたダガーナイフのようなとげは根の本体の中に引っ込んでいたため、素早くくぐり抜けることができる。

這って進む間も、グレイの頭の中では爆発までのカウントダウンが続いていた。ＭＯＡＢの爆発半径は爆心から一・五キロに達する——盆地を取り囲む高い断崖に爆発の威力が閉じ込められれば、それよりも広範囲に影響が及ぶかもしれない。

残された時間内にそれだけの距離を逃げることは不可能だ。

〈少なくとも、全員が逃げるのは無理だ〉

グレイは誰一人として見捨てるつもりはなかった。全員が脱出できるか、それとも全員が脱出できずに終わるかのどちらかしかない。グレイは貴重な鉱物の大鉱脈を採掘してできた古代都市まで、あの黄金の王国までたどり着ければと考えていた。あとはあれがシェルターとしての十分な強度があることを祈るしかない。

〈だが、まずはそこまで行き着かなければならない〉

グレイはとげのあるトンネルの出口に達し、立ち上がった。目の前には光り輝く池と金色がかった緑色の森から成る、起伏に富んだおとぎ話の世界が広がっている。放出された胞子がもやのように一帯を覆っていた。

グレイは手を振って先に進むよう促した。「走り続けろ。できるだけ急いで」

グレイは速いペースで先導し、息が切れたベンジーやティエンデが遅れれば速度を落とし、その時間が長引かないうちに再びペースを上げた。

逃げる一行の下ではこの一帯の大地がうごめいていた。森の本体は足もとに隠れていて、根や菌糸体によってつながった広大なネットワークとして、地球上のどんな存在よりもはるかに古い知性が形成されていることを改めて思い知らせてくれる。

これから何が訪れ、何が破壊されるかを思い、グレイはもどかしさから歯を食いしばった。

〈俺たちはここに来るべきじゃなかった〉

それによって何が得られたというのか？

空っぽの水筒がコワルスキの腰で揺れている。グレイは大男に分け与えられたかもしれない治癒の力を血液から抽出すれば、拡散しつつある伝染病を食い止めるために使用できるのではないかというかすかな期待を抱いていた。

ようやく古代のジャングルの外れまでたどり着いた。濃い色の木々が目の前に広がっている。ベンジーが速度を落とした——息が切れてしまったからではなく、ティエンデを思ってのことだ。走り続けているせいで老人はぜえぜえと苦しそうに息をしていて、やつれた顔を汗が滴り落ちている。杖は途中でなくしてしまっていた。コワルスキがティエンデを支えていて、ファラジも反対側から手を貸している。

グレイは少年と入れ替わった。「止まったらだめだ」

一行が再び走り出し、バリケードのように隙間なく生い茂った真っ暗なジャングルを抜けると、ようやく普通の木々に囲まれた中に出た。

グレイは腕時計に目を落とした。

〈午前九時三十八分〉

残り時間は七分――あるいはそれ以下。

ベンジーが最初にあることに気づき、速度を落としながら周囲を見回した。「ほかの人たちは？」苦しそうに声を出す。

グレイもまわりを見たところ、モリンボとほかのピグミーたちは仲間のツチオオカミとともにいなくなっていた。どこにも姿が見当たらない。

グレイは首を左右に振った。「彼らが十分に距離を置いたところまで逃げたことを願うしかないな」

「もしかすると、何が起ころうとしているのか察知したんじゃないかな」ベンジーが意見を述べた。「すでにあの都市の中に身を隠しているかもしれない」

「そうかもな」グレイはつぶやいたが、それは怪しいと思った。ハンターたちはあの古くからの場所――骨が散乱した死の王国には、決して近寄ろうとしなかったのだから。

だが、それについて議論している時間はない。

グレイは先を急いだ。「走り続けろ」

グレイたちが再び走り出すと、石畳の道の先に何かが姿を見せた。木々の間から現れる様子は幽霊のようだ。雪のように白い体毛を持つツチオオカミが一行の前で立ち止まり、年老いた目でじっと見つめながら相棒の帰還を歓迎していた。

「ムベ……」ティエンデが息も絶え絶えに呼びかけた。

ツチオオカミは銀色の川が流れるかのように石畳の道を移動し、老人のもとにやってきた。ティエンデの隣に寄り添いながら一緒に走る。その存在が老人に元気を与えたようだ。ティエンデはグレイとコワルスキの手を振りほどくと、白い体毛に覆われた体から力をもらおうとするかのように、ムベの脇腹に手のひらを当てた。

グレイたちはさらに速いペースで曲がりくねった道を走った。だが、道が二股に分かれる地点まで戻った頃には、ティエンデは再び助けが必要な状態になっていた。足を引きずったり転びそうになったりしながら、かなり遅れてしまっている。グレイは老人のところまで戻り、腋の下に腕を入れて体を支えた。ティエンデの体は小刻みに震えていた。瘦せた胸板の下から心臓の激しい鼓動が伝わってくる。

モリンボよりもはるかに若いとはいえ、このクバ族の老人は百歳を優に超えていて、ことによると百五十歳に近いという話だ。何万年も前からこの地で暮らし、何世代にもわたって影響を受けてきたことが、ピグミーのまれに見る長寿と関連しているのだろうか、グレイはそんなことを考えた。それと比べるとティエンデはまだここで暮らし始めてからの日が浅いため、老化による衰えの影響を受けやすいのかもしれない。

コワルスキが老人の左側に回り込み、いざとなったら抱きかかえて運ぼうと身構えた。その邪魔になるのでツチオオカミを追い払おうとする。

ムベがうなり声をあげた。その場所を譲るつもりはないということらしい。その一方で、老いたツチオオカミも息づかいが激しい。走り続けるのが体にこたえているのか、視線が定まらない。ティエンデと同じく、この百歳近い動物も永遠に時を操ることはできないのだろう。

「あと少しだ！」ベンジーが前を指差しながら振り返って叫んだ。

ジャングルに囲まれた暗い都市がそびえていた。赤々と照らしていた炎はすでに燃え尽きてしまっている。グレイはピグミーたちがこの場所を避ける理由が理解できた。骨が散らばっているからだけではない。ここには何か近寄りがたい雰囲気が漂っている。

しかし、迷信を気にしている余裕はなかった。

グレイは時計の光る文字盤に目を落とした。

午前九時四十二分

「あと三分だ」グレイが叫んだ。

ベンジーはびくっとして走る速度を上げ、真っ暗な断崖面を目指した。

〈それだけの時間で何とかできるんだろうか？〉

グレイが全員を急がせた。「あの中に入ったらできるだけ奥に進め。行ける限り、中まで入るんだ」

ベンジーとファラジは道がカーブしているところに差しかかった。二人は道から外れて真っ直ぐなルートを選び、下草を踏みつけてキノコの間を横切りながら走った。すぐ後ろでホコリタケが破裂し、ベンジーを驚かせる。古い頭蓋骨や肋骨を踏むと粉々に砕けるので、足もとが不安定になる。

ベンジーは自分たちの骨がこの古くからの墓場に加わることにならないよう祈った。

ベンジーとファラジは真っ暗な入口までたどり着いた。後ろでコワルスキが懐中電灯のスイッチを入れると、二人の影が都市の内部に伸びる。ファラジがそこから先に進むことを嫌がったが、コワルスキが後ろから体当たりしながら中に押し込んだ。

「さっさと行け！」大男がわめいた。

ベンジーは足がもつれたが、何とか転ばずに踏みとどまり、ファラジの後を追って走った。コワルスキもすぐ後ろからついてくる。懐中電灯の光があちこちを照らし出した。輝きを放つ壁面がその光を温かみのある金色に変える。壁に手のひらを当てたベンジーは、その表面が滑らかなことに気づいた。だが、彼が手を伸ばしたのは転ばないようにバランスを取るためだった。

　足もとには大量の人骨が散らばっていた。ほとんどの骨は不気味なまでに元の形を保っていて、その人が息を引き取ってから誰も手を触れていないように見える。ぼろぼろになった服の断片がくっついたままの死体もあった。年月を経て錆びた鎖帷子をまとった死体も二体ある。槍、ハンマー、剣といった鉄製の武器も散乱していて、ティエンデの説明にあった盆地への襲撃が事実だったことを裏付けている。

　ベンジーは永遠の眠りを妨げないよう、ファラジにならって骨をよけたりまたいだりしながら奥に進み続けた。

　コワルスキはそんなことに気を配っていないようだ。骨を踏みつぶしては罰当たりな言葉を吐き捨てながら、地下の通路を進み続けている。

　左右には黄金の住居が連なり、角張ったブロックがはるか上にまで積み上げられている。橋やアーチがあらゆる場所を結んでいた。

　ベンジーは周囲をきょろきょろと見回しながら、この場所のかつての姿を想像しようとした。頭の中で街のあちこちにランプやランタンを吊るす。人々がおしゃべりをしたり品物を売買したりしている。子供たちが走りながら笑い声をあげている。ツチオオカミが悠然と歩き回っている。

　後ろを振り返ったベンジーは、この都市の本当の豊かさは自分のまわりにあるのではなく、もっと向こうに、ジャングルの中に存在しているのだと気づいた。王国はジャングルの中で何世紀もの間、自然と一つになって存続していた。

それこそが彼らの最高の財産だったのだ。

そう思う一方で、後方を見たベンジーは別のあることにも気づき、眉をひそめた。

「グレイはどこ？」

午前九時四十四分

「もっと奥まで行かないと」グレイは腕時計を見ながら促した。

〈あと一分……〉

ティエンデは都市に数メートル入ったところで立ち止まっていた。クバ族の老人と昔からの仲間のどちらの動きが先に止まったのかはわからない。あたかも同じ合図に反応したかのように、どちらも歩みを止めてしまったのだ。

地面にぺたりと座り込んだムベははあはあと息をしていて、胸を激しく上下させており、急に老け込んだその様子は今にもグレイの目の前から消えてしまいそうだ。通路の床に腹這いになった大きなツチオオカミの目は、ジャングルの方を見つめている。ティエンデもその隣にひざまずき、仲間の体に片腕を回していた。

「もう十分だ」ティエンデがきっぱりと言った。

グレイは老人がキロ数で表す距離についての話をしているわけではないと察した。

「あきらめてはだめだ」グレイはティエンデをつかもうとした。

ティエンデが腕を持ち上げ、グレイを制止した。ムベの発するうなり声は老人の思いを代弁したものなのかもしれない。「負けたわけではない。あきらめたわけでもない」その顔に小さな満ち足りた笑みが浮かぶ。「時が訪れたのだ」

「しかし――」

「私の話は終わった。君に伝えた。それで十分なのだよ」

グレイは老人を説得する方法がないか、懸命に考えを巡らせた。

ティエンデが暗い都市の方を見つめ、黄金の王冠を頭から外した。「今こそ、王国の歴史に幕を下ろす時だ」続いて遠くを見つめるムベの視線の先にある森の方に注意を戻す。「そしてよくも悪くも、母親が子供たちを独り立ちさせる時でもある」

ティエンデはここから動く気がないとようやく受け入れたグレイだったが、この場を離れる前に確かめておかなければならないことがあった。「治療薬は……コワルスキはそれを世界に分け与えることができるのですか？」

ティエンデが最後にもう一度だけ振り返った。その顔に浮かぶ悲しげな表情は、君は何も理解していないと告げているかのようだった。「モリンボの人たちがずっと前に説明してくれた。彼女は贈り物を惜しみなく分け与えるが、それは長くは存在しない。ひとたび摂取すればたちまち弱まる。効果がある程度は持続している間に、それをもたらす力は暑い夏の日の水のように消えてなくなってしまうのだ」

グレイは大きく息を吸い込んだ。

〈つまり、できない……〉

ティエンデは顔をそむけ、手のひらを向けて話は終わりだと伝えた。「君は必要な答えをすべて手に入れた」

グレイはもうそれ以上は待てなかった。体を反転させ、黄金の都市の奥に向かって走る。頭の中ではカウントダウンが続いていた。無人飛行機の遠いエンジン音が聞こえたし、それが次第に大きくなるのもはっきりとわかった。

グレイはカウントダウンがゼロになる直前に家の中に飛び込み、壁の陰に身を隠した。それはぎりぎりのタイミングだった。

グレイが床にひざまずいた瞬間、爆発が起きた。衝撃が大地を揺らし、体が飛ばされる。家の外では橋に亀裂が走り、黄金の塊や細かい破片となって降り注いだ。ほんの一瞬、噴き上がった炎に照らされて王国全体がまばゆく輝いた。爆発によってかつての輝きを取り戻した都市の姿が目に焼きつく。強風とともに熱が都市を駆け抜け、グレイの肺を灼熱《しゃくねつ》の空気で満たす。

　グレイは仰向けに倒れた。両腕で頭を覆い、顔をそむける。地面の揺れが止まり、高温の熱風が収まるまで待った。それから立ち上がり、家の扉に向かう。戸枠に手のひらで触れてみる。黄金は驚くほどまでに冷たいままで、これほどの規模の爆発にも耐えられるこの都市がいつまでも朽ちることのない存在だということを示している。

　グレイは安否を心配しながら家の外に出た。

〈ティエンデ……〉

　黄金の瓦礫の中を入口に向かって引き返す。まばゆい朝の光を浴びて一人と一頭のシルエットが浮かび上がっていた。さっきと同じ場所にいる。爆発で外のジャングルが粉砕され、断崖面の木々も消えてなくなってしまったため、明るい空が都市の正面を照らしていた。ここに太陽の光が差し込むのはいつ以来のことだろうか。

　グレイは歩を速めた。

　ティエンデはムベの陰に倒れていた。ツチオオカミはその巨体を丸めて老人に覆いかぶさっており、死を迎えた後もなお、旧友を守り続けようとしているかのようだ。雪のように白い大きな体がティエンデと出口の間を遮る壁となり、そのおかげで老人は慣れ親しんだ地の惨状を見ることなく永遠の眠りに就くことができたのだ。

　グレイは老人とその仲間のもとまで歩み寄った。ひざまずくとクバ族の老人の肩に手のひらを置き、心の中で感謝の言葉をかけた。その時、ティエンデがかすかに体を動かした。奇跡が起きたのか、それとも生涯の友人の深い愛に守られたおかげか、ティエンデにはまだ息があった。ただし、呼吸は浅い。

「動いてはいけません」グレイは老人に声をかけた。

ティエンデが助かるかもしれないという期待は抱いていなかったものの、彼が誰にも見守られないまま死を迎えるようなことがあってはならない。

ティエンデが両目を開いた。残る力を振り絞って腕を持ち上げ、慰めるかのようにグレイの手を軽く叩く。「私は……彼女は君のことを値しないと見なした……そのことが意外でならない」かすれた声で語りかける。「私は値すると……」

グレイは申し訳ないという思いでいっぱいだった。自責の念を強く感じる。

背後から足音が聞こえ、話し声も届く。グレイは振り返った。暗がりの奥で懐中電灯の光が上下に揺れている。コワルスキが姿を現した。その左右にはベンジーとファラジがいる。

グレイは片手を上げ、近くに来るよう促したが、もう片方の手のひらはティエンデから離さずにいた。老人は苦しそうに息をしている。三人はすぐにやってきた。

目の前の光景にベンジーが息をのんだ。

ファラジは受け入れるのを拒むかのように手のひらで顔を覆った。

コワルスキは首を左右に振り、小声で何やら罵っただけだ。

「我々にできることはありますか？」グレイは静かに訊ねた。「何かしてほしいことはありませんか？」

ティエンデは唇をなめ、口を開こうとしたがうまくいかず、再び試みた。「私に……見せてほしい」

グレイは意図を理解して老人を抱え上げ、背中を壁に添えた姿勢で座らせた。ティエンデの目はムベの死体の先にある盆地を見つめている。太陽が煙で遮られたため、明るい陽光はすでに陰ってしまっていた。この暗がりからはもはや古代のジャングルの威厳は感じられず、あるのははるかに邪悪な存在だけだ。

「申し訳ありません」グレイは小声で謝罪した。

〈あまりにも多くが失われたのに、何も得られなかった〉

ティエンデは惨状をじっと見つめている。悲嘆にくれて肩を少し落としたものの、表情に変化は見られない。「森が新しく成長するためには火が必要な場合もある。炎の中にさえも希望は見つかるものだ」

「しかし――」

ティエンデが腕を伸ばし、再びグレイの手を軽く叩いた。「前にも言ったが……母親が注意を与えたり、叱ったり、教えたりする時間にも限りがある……やがては母親自身の時間も終わりを迎える。今、私の時間が終わろうとしているように。それからはワトト……ワトト……」

命の炎が消えようとしている今、ティエンデの心の中では現在と過去が交錯していて、クバ族の単語が口をついて出てしまったのだろう。視線が定まっていない。

ファラジが近づき、二人の傍らでひざまずいた。「ワトト……『子供たち』の意味」

ティエンデが反応した。「子供たち、そう、子供たちはいつかは立ち上がらなければならない……自分の力で……彼らも過ちを犯す」その視線が破壊されたジャングルに動いた。「間に合ううちにヘキマを得られるかどうかは……」

ティエンデは悲しげに肩をすくめた。

グレイはファラジの方を見た。

「ヘキマは『知恵』の意味、だよね？」ファラジが確認した。

ティエンデが少年の膝に触れて感謝を示した。その頭が別の人物の方を向く。老人は腕を持ち上げ、ベンジーにもっと近くに来るよう弱々しく手招きした。大学院生はすぐに近寄り、ファラジの隣にひざまずいた。

ティエンデがベンジーの脚に触れてから、ポケットのふくらみに向かってかすかに手を動かした。ベンジーはその意図を理解し、ンドップ像を取り出した。

ティエンデがよく見えるように差し出す。

老人の口から満足げなため息が漏れた。力を振り絞って震える指を持ち上げ、ウィリアム・シェパード牧師の顔をなぞる。古い友人でもあり、師でもあった人物に別れを告げているのだろう。

「母なる木は……」ティエンデが小さな声で伝えた。「彼女は何よりも大切な贈り物を、我々の中で最も値すると見なした者だけに分け与える」

その人物がウィリアム・シェパード牧師だったのは明らかだ。

ティエンデの腕がだらりと垂れ下がり、声がいちだんと苦しそうになる。「ンゲディ・ヌ・ンテイの中に……ンゲディ・ヌ・ンテイ……」

頭が前にがくりと傾いた。

ようやく彼にも終わりの時間が訪れたのだ。

沈黙がグレイたちを包む。

しばらくすると、ベンジーがシェパード牧師の彫像を両手で持ち上げた。「僕たちは値しないと見なされた……」若者の視線が破壊の惨状に向けられる。「彼女は正しかったのかもしれない」

グレイは敗北を認めて首を左右に振った。シェパード牧師は帰還するための方法を与えられ、治癒した状態で盆地を後にした。その後、牧師は自らの物語を保存し、救済にたどり着くための道筋を残した。牧師はそのすべてをンゲディ・ヌ・ンテイの中に、貴重なクバ・ボックスの中に入れて保護した。ティエンデが最後の言葉で友人をたたえ、はっきりと言い残したように。

〈だが、俺たちは値しないと見なされた。ティエンデは値すると考えてくれたのかもしれないが〉

「もう行かないとまずい」コワルスキが言った。「救援のヘリコプターが来るところまでたどり着かなければならないんだぞ」

グレイはうなずき、歩き始めた。だが、ファラジはひざまずいたまま、同じクバ族の人間に対して祈りを捧げている。グレイは少年の行動を尊重し、祈りが終わるまで待った。その間にベンジーがンドップ像をポケットに戻そうとする。

グレイははっとして手を伸ばし、若者の手首をつかんだ。「待て」

「何？」

グレイはベンジーの手首を強く握った。「ンゲディ・ヌ・ンテイの中に……ンゲディ・ヌ・ンテイ」

ベンジーが眉をひそめた――次の瞬間、彼も理解したらしく、目を大きく見開いた。

「どうしたんだよ？」コワルスキが訊ねた。

「ティエンデの最後の言葉」グレイは説明した。「彼は世界に向けたシェパード牧師の贈り物の話をしていたわけじゃなかった。ティエンデは俺たちにそれを差し出していたんだ」

〈彼は俺たちが値すると見なしてくれた——木はそう判断しなかったにもかかわらず〉

コワルスキが眉間にしわを寄せた。「俺たちに何を差し出したって？」

「答えだ」ベンジーは手の中のンドップ像を畏怖《いふ》の念の混じった目つきで見下ろしている。若者は像をグレイに押しつけた。「ンゲディ・ヌ・ンテイの中にンゲディ・ヌ・ンテイ」

グレイは彫像を受け取りながら翻訳した。「クバ・ボックスの中にクバ・ボックス」自分の考えが正しいことを願いながら仲間たちを見回す。「クバ族は大切な品物をそうした神聖な箱で保管する。しかし、その中で何よりも大切な品物は……」

「箱の中に別の箱を入れているかもしれない」ベンジーがその先を引き継いだ。「ロシアのマトリョーシカ人形みたいに」

全員の視線がグレイに集まった。

グレイは像をじっくりと観察した。母樹の根から彫られた黒い木の像の表面を指でなぞる。グレイはようやく発見した。シェパード牧師の顎の下で、銀色の木目が首を一周している。

不安に顔をしかめながら、グレイは像の頭部をつかんでひねった。三回目の試みで像の頭部が外れた。その内部は母樹の幹がそうだったように空洞になっていた。

グレイは像を傾けた——手のひらに細かい粉末がこぼれ出る。

一粒一粒が明るい銀色に輝いている。救済への希望にあふれる輝きだった。

29

四月二十五日　中央アフリカ時間午前十時二十二分
コンゴ民主共和国　カトワ鉱山

ノラン・ド・コスタはクルーザーの操舵室から自らがもたらした破壊の跡を見つめた。遠くから思い描くのと近くから目の当たりにするのとではまったく違う。

全長二十メートルのクルーザーを操縦して川を下りながら、かつての鉱山の残骸を通り過ぎているところだ。巨大なクレーターでは今も炎がくすぶっている。新たな支流が煙を吐く窪みに流れ込んでいて、ゆっくりと穴を満たしながら有毒な湖を形成しつつあった。

向かい側の川岸に目を移すと、ジャングルの奥まで吹き飛ばされたいくつもの巨大なはしけによって木々がなぎ倒されていた。船体はこれから何世紀にもわたって錆びるに任せて放置され、ノランの権力を物語る壮大な記念碑となることだろう。

ほとんどの人はこれほどまでの破壊に驚愕する。ノランが感じるのは誇りと畏敬の念の混じったスリルだけだ。

〈これは私の手によるものだ〉

何百年もの歴史があるどんな遺物すらもしのぎ、頂点に君臨する業績と言えるだろう。ノランは黄金と宝石で装飾を施したアビシニアの王冠に目を移した。操舵室内のすぐ横に置いてある。オフィスから脱出し、秘密の階段を下ってATVに向かう時に持ち出したものだ。装甲を施したクルーザーまで無事に運び込むことができた。その後はンゴイの手を借りてすみやかにドックを離れ、島を後にしたのだった。

爆発の現場を通り過ぎると、ノランは後ろを振り返った。

東側の山中における同規模の破壊を思い描く。

下流に向かって船を進めている時、爆破に成功したとの連絡が入っていた。また、ここから一・五キロほど下流にヘリコプターを派遣するよう手配済みで、そこからエジプトのカイロに、さらにベルギーのオフィスに飛ぶ予定になっている。

今回の件がすべて片付くまでには訴訟の嵐に直面しなければならないだろうが、過去にもそれを乗り越えてきた。数十億ドルの資産はどんな国や軍隊を相手にしても難攻不落の要塞になる。金をばらまいて歴史を書き換えればいい。病気の流行中に自社でコンゴ全土に病院を設立し、自分を救世主に仕立てる。同じく金を使って批判の声を封じ、賄賂や脅迫を通じてこの地域での支配を維持する。

ノランは手を伸ばして黄金の王冠に触れながら、自分は生まれながらにそうなる運命なのだと思った。その支配はアフリカ中部全体にも及ぶだろう。

〈大陸すべてが私の支配下になるのも時間の問題だ〉

足音を耳にしたノランは後ろを振り返った。操舵室の扉の向こうに現れたのはンゴイだった。シャワーを浴びたばかりらしく、怯えた表情はすっかり消えていた。

ンゴイが下流を指差した。「あとどのくらいでヘリコプターと――」

ノランは心臓が口から飛び出すかと思うほど驚き、研究者から後ずさりした。

ノランの表情に現れた恐怖に気づき、ンゴイがびくっとして体をすくめながら振り返った。その動きで、後部甲板から操舵室の入口の手前に音もなく飛び移り、獲物を室内に閉じ込めた存在があらわになる。

巨大なチーターが毛を逆立てていた。小山のような巨体が濃い色の体毛を震わせている。明るい空の下にもかかわらず、実体を伴った存在ではなく影のように見える。その暗がりの奥で金色を帯びた琥珀色の瞳が冷たい光を放っていた。歪んだ口元のまわりには白いひげが伸びている。チーターは鳴き声をあげない。大きく湾曲した牙をのぞかせるだけで十分に脅威だ。

ンゴイが金切り声をあげた。

チーターが片方の前足を突き出した。鉤爪が研究者の頭部を切り裂く。そのはずみでノランの方を向いた顔面には何も残っていなかった。それにもかかわらず、ンゴイは剝《は》ぎ取られた肉と血まみれの骨の間から悲鳴をあげた。苦痛で身をよじらせながら、その体が床に倒れる。

ネコ科の動物はうめき声を無視してンゴイをまたいだ。

この野獣の本当の狙いはンゴイではなかった。

ノランにもそのことはわかっていた。

何週間も前から、ノランは捕獲したチーターをあの手この手で虐待し、その怒りを買っていた。変異した野獣はこのクルーザーの甲板下の荷物室に潜んでいたのだろう。船内にしみ込んだノランのにおいに引き寄せられたに違いなかった。

ノランは右舷側に後ずさりした。そちら側の操舵室の窓は開いている。

チーターもそれに合わせてゆっくりと動き、獲物をもてあそびながら、ようやく怒りのうなり声をあげた。

ノランはチーターに背を向け、窓に向かってジャンプした。鉤爪が片脚の太腿の裏側を引っかき、リネンの生地と皮膚と肉をえぐり取る。それでも、ノランは窓から外に逃れることができた。建物にして二階分の高さから転げ落ちるように水中に落下する。必死に手足をばたつかせると、渦を巻く真っ黒な川の水が白く泡立った。

ノランはパニックを起こしながらも水面に浮かび上がり、岸に向かって水を蹴った。切り裂かれた脚が水中で燃えているかのように痛むが、泳ぎをやめようとは思わなかった。

〈身を隠さなければ〉

クルーザーが横を通過していく。エンジンはかかったままだが、誰も乗っていない――少なくとも、生きている人間は。クルーザーの方を振り返ると、チーターが操舵室の窓から身を乗り出していた。鉤爪で窓枠をつかみ、頭を持ち上げながら首を伸ばすと、外の世界に向かって咆哮《ほうこう》する。

その瞬間、ノランは自分がこの土地やこのジャングルの王からはほど遠い存在だということを思い知らされた。力を振り絞って水を蹴りながら、少しでもいいから神の加護があることを、慈悲が与えられることを祈る。その願いが通じたのか、クルーザーはチーターを乗せたままノランから離れ、向こう岸の方に流れていった。

ノランはさらに速度を上げて泳いだ。

目の前にジャングルが迫る。

〈もう少しだ〉

木の砕ける音と鋼鉄のひしゃげる音が聞こえ、ノランは川の反対側に意識を向けた。クルーザーが船首から向こう岸に突っ込み、ジャングルに大きく食い込んでいる。その動きが止まると、大きな影が船から飛び降り、ジャングルの奥に姿を消した。

ノランは岸までの残りの距離を泳ぎ切った。川の様子をうかがいながら、チーターが泳いでこちら側に渡ろうとしている気配がないかを探る。今のところ、向こう岸のジャングルは真っ暗なままで、何かが動いている様子はうかがえない。ノランは川岸までたどり着くと安堵のため息を漏らし、水から這い出てぬかるみの中でうつ伏せに転がった。大雨で上昇した水位は下がり始めていて、植物が流された後には滑りやすい斜面が露出している。

〈ここで止まっていてはだめだ〉

ノランはつま先をぬかるみに突っ込んで踏ん張り、傾斜の急な川岸を必死によじ登ろうとした。つるつると滑る泥がその試みを妨げる。両脚が震え始め、急激に力が入らなくなってきたこともあって、思うように前に進めない。指先を泥に食い込ませ、何とかしてしがみつこうとする。だが、両手が言うことを聞いてくれない。ノランはパニックと疲れのせいだと思った――その時、あることを思い出す。

ノランは体をひねり、切り裂かれた脚を見た。大量の血が流れ、筋肉が見えている。そんなにも深い傷が問題なのではなかった。

チーターの鉤爪に含まれていた毒が体に回り始めていたのだ。研究チームが毒素を特定していた。麻酔専門医が筋弛《し》緩《かん》薬として用いるスキサメトニウムの誘導体だった。筋肉の動きを麻痺させるが、意識は完全に保たれ、痛みを含めたすべての感覚も損なわれない。

手足が次第に重たくなる中、ノランの体がぬかるみに沈んだ。このままでは窒息してしまうと思い、持てる限りの力を使って仰向けの体勢になる。川に滑り落ちていく体を止めることができない。

足の痛みは依然として感じていた。熱い血が太腿から流れ出て、冷え切ったふくらはぎを伝っていくのがわかる。麻痺の影響で息苦しくなってきたが、ノランは意識して胸を上下させた。

〈何とかしてしのがなければ〉

毒素そのもので死に至ることはない。せいぜい一時間もすれば影響が薄れていく。

ノランは希望を抱いた。

抱くべきではなかった。

コンゴの本当の恐ろしさをわかっているはずだった。

流れ出る血が水を伝う。体のまわりのぬかるみにたまる。それがジャングルを引き寄せる――アフリカの王を食らおうと集まってくる。

最初にやってきたのはカニだった。

30

五月二十九日　中央アフリカ時間午前十時四十二分
コンゴ民主共和国　キサンガニ

シャルロットはキサンガニ大学理学部の建物の三階でフランクの肩に手を置き、背後からのぞき込んでいた。

一方の側にはドクター・リサ・カミングズが、その反対側にはベンジーがいる。

四人はフランクが毎日行なうブリーフィングのため、ウイルス学者の臨時の生物学研究室に集まっていた。四階にあった当初の施設は先月の爆撃で破壊され、現在も修復工事中だ。フランクの新しい部屋は世界各地でウイルス対策に取り組んでいる数多くの研究所の一つにすぎない。

「このウイルスの仕組みが理解できつつあるように思う」フランクが切り出した。「少なくとも、患者の神経系の回復に関しては」

リサが身を乗り出した。「見せて」

アメリカ人の医師は世界各地から派遣された医師団とともにシャルロットを支援している。治癒が困難なオムニウイルス――フランクによる最初の呼び名が名称として定着したウイルスの中和剤を入手してから、一カ月あまりが経過した。ウイルスは現在もコンゴ民主共和国内で勢力を維持している。辺境の村や町から今も患者が運び込まれてくるものの、大勢の患者であふれ返るような状況は収束に向かいつつある。

状況は好転していた。

ただし、治療薬に関してはあまり理解が進んでいなかった。

「これを見てほしい」フランクが言った。

画面上に表示された巨大ウイルスは、少なくとも見た目はオムニウイルスとそっくりだった。フランクの説明によると、この新しいウイルスの方が少し大きく、遺伝子の数も二十二パーセント多いという。その点を除くと、邪悪な仲間と同じように多くのスパイクが付いている。新しいジャイラスはベンジーたちがジャングルから持ち帰った粉末状の結晶の被嚢《ひのう》内から発見された。

フランクが世界で初めて、その休眠中のウイルスの蘇生に成功したが、そのような事例は珍しいことではないらしい。数年前のこと、シベリアの永久凍土の中から巨大ウイルスが発見された。三万年もの間、冷凍状態で保存されていたが、そのウイルスは氷が融けると息を吹き返したそうだ。

粉末の治癒力を裏付ける歴史的な根拠に基づき、フランクは病院に収容されている中でも最も症状の重い、瀕死の状態の患者に臨床試験を実施した。すると、被嚢に包まれたウイルスで治療したすべての患者に一日以内に回復の兆候が見られ始めるという、奇跡としか思えないような結果が見られた。それ以降、シャルロットも含めて数千人の患者に治療が施された。

その後、ウイルスはベンジーたちが結晶状の粉末を入手するのに尽力してくれた部族の男性の名前から、「ティエンデ・クビクム」と命名された。ティエンデが百年以上にわたって見守り続け、将来の脅威に備えてその知識を保存してくれていなかったら、このような成果は得られなかっただろう。

「今までは」フランクが説明した。「ティエンデ・クビクムのＤＮＡに着目していた。それに関しては依然として謎のままだ。そのウイルスの遺伝子は一つとして認識できない。完全に理解するには数十年はかかるのではないかと思う――そもそも理解できるかどうかも怪しいな」

「それなら、何がわかったの？」リサが訊ねた。「どんな大発見があったというの？」

フランクはウイルスを取り囲むスパイクを指差した。「最初はこれらがオムニウイルスのスパイクと同じだと思っていた――蛋白質の筋がプリオンのように働き、患者の高次脳機能に影響を与えているのだと」

「そうじゃないというわけなの？」シャルロットは問いかけた。

「いいや、そうなんだ」

シャルロットは眉をひそめた。「よくわからないんだけれど」

「どちらも組成はまったく同じだ――だが、形はそうじゃない。ティエンデ・クビクムのスパイクはオムニウイルスの表面から突き出ているものの鏡像になっている。両者は互いにシス=トランス異性体の関係にあるんだ」フランクが三人の方に顔を向けた。「だからティエンデ・クビクムは患者の低下した神経活動に作用し、目覚めさせることができる。そのスパイクは鍵を錠前に挿し込むかのようにオムニウイルスの病原性のスパイクと結合し、それを中和させ、やがて体が両方を体外に排出するということなんだ」

「すごいな」ベンジーが言った。

「まだ研究を重ねる必要がある」フランクがシャルロットの顔を見た。肩に置いたままのシャルロットの手のひらをつかみ、ぎゅっと握り締める。「でも、君が私のラップトップ・コンピューターを、しかもド・コスタの研究データがすべて残ったままの状態で回収してくれたことは、何よりも大きかった。それがなかったらここまでの進展はとても無理だっただろう」

シャルロットは頬が熱くなるのを感じながら微笑んだ。二人は数え切れないほど多くの時間を一緒に過ごしてきた。シャルロットの容体が回復するまで、フランクはベッドのそばにずっと付き添っていてくれた。

シャルロットは手を離し、話題を変えようとした。ベンジーの方を向く。「ところで、あなたの研究の方はどうなの？　変異と異常に関して。そうした事例や動物との遭遇の報告がいまだにあると聞いているけれど」

ベンジーがかたい表情でうなずいた。「徐々にではあるけれども、減りつつあるみたい。ンダエとエコガードたちがかなりの数の動物を捕獲している。これまでのところ、大部分はラバのように繁殖力を持たず、一世代に限った異常に終わると思われる。でも、すべてにそれが当てはまるのかどうかはわからないな。僕たちが出会ったジャッカルは子供たちを守っていた。あのつがいが問題なく出産したのは間違いなさそうだからね。もっと時間がたってからじゃないと確かなことは言えない」

リサが若者の方を見た。「ティエンデのウイルスをコンゴ民主共和国内に空中散布するという実験計画はどうなったの？　それによって流れを食い止め、ジャングルの中でまだくすぶり続けているオムニウイルスの残った拠点を壊滅させることはできないの？」

ベンジーが肩をすくめた。「ティエンデのウイルスが秘めている力に関しては、まだ理解にはほど遠い状態。ドクター・ウィテカーが言ったように、あの遺伝子の箱はなかなか開けられそうにない。でも、僕が思うに、母樹はある種のエピジェネティクス――ＤＮＡ

の塩基配列の変化を伴わない方法でウイルスの遺伝子発現に手を加え、万能薬に変えているんじゃないかな」

「ウイルス版のアーミーナイフみたいなものね」リサが言った。

ベンジーが笑みを浮かべ、少年のような顔つきに戻った。「うん、そんな感じかな」

フランクが腕時計を確認した。そろそろブリーフィングは終わりということのようだ。

「じゃあ、そうした謎の解明は少しの間、君たちに任せるよ。飛行機の時間があるのでね。二日後には戻ってくる」

シャルロットは顔をしかめた。「あなたができる限りの手を尽くしたことは彼も知っている。あなたにもそれはわかっているんでしょ？」

「まあ、どうなるかな」

話が終わると、四人は思い思いの場所に向かった。シャルロットはリサと一緒に一階まで下り、芝生と明るい午前中の日差しの中を横切って病院に入った。病院の二階はこの病気の患者専用になっている。二人は階段を上り、この日も長い一日になるのを覚悟した。

個人用防護具を着ている時、シャルロットはガラスのパーティション越しにファラジの姿を認めた。少年はベッド脇に腰掛け、口だけでなく身振りも交えながら一生懸命に会話している。辺鄙《へんぴ》な村の患者たちが数多くいて、その大半は自分たちの言語しか話せない。それに加えて世界各国から医師たちが派遣されているため、病院は有能な通訳を一人でも多く必要としていた――若い見習いシャーマンはその役目に適任だった。ファラジと話をしたところ、彼はウォコ・ボシュから教わった部族の知恵を後世に伝えていきたいと考える一方で、西洋医学の知識もできるだけ吸収して取り入れるつもりでいることがわかった。

リサが病棟の方を指差した。「昨日よりもベッドの空きがさらに増えているみたいね」

シャルロットはうなずいた。「でも、この場所が用済みになれば本当に安心できるんだけれど」

「いつかはそうなるから。それまでの間は勝利の喜びをちゃんと味わうこと」リサが廊下の先を指し示した。「たとえどれほど小さな勝利であっても」

シャルロットがそちらに目を向けると、近づいてくるディサンカの姿が見えた。女性は退院後の検査のために病院を訪れていた――彼女は一人で来たのではない。

シャルロットは両腕を差し出しながら駆け寄った。「坊やを見せて」

ディサンカは大きな笑みを浮かべて赤ん坊を手渡した。

シャルロットは小さな体を抱きかかえた。ちっちゃな足をばたばたさせている。

ディサンカが近づき、小さな頭に手のひらを置いた。「名前はウォコ」

その知らせを聞き、シャルロットの胸に温かい思いがあふれた。「素敵ね……とても素敵な名前」

シャルロットは命を投げ出して自分たちを救ってくれたシャーマンのことを、クバ・

ボックスとともに長い道のりを歩んできた老人のことを思い浮かべた。黄色い粉末を用いたウォコ・ボシュの手当てがこの子を治したわけではなかったかもしれないが、治療薬が見つかるまで生き延びるための十分な時間を与えてくれたのだ。

ウォコ・ボシュがいなかったら、この子の命はなかっただろう。

シャルロットは男の子を高々と掲げた。シャルロットの顔を見下ろしながら、赤ん坊は手足をもぞもぞと動かし、ブウブウと声を出し、鼻水を垂らした。シャルロットは笑顔を返した。

〈そうよね、この小さな勝利は誰にとっても十分だもの〉

東部夏時間午後一時二十二分
ワシントンDC

グレイは待合室に座っていた。高さのある白い机の奥で看護師たちが忙しそうに動き回っている。その向こうには光沢のある木のパネルに記された「メッドスター・ジョージタウン大学病院」の黒い文字が見える。ここは骨髄および幹細胞移植を専門とする部署だ。

通路の先の部屋ではコワルスキが最後の治療を行なっていて、婚約者のマリアが付き添っている。二回の化学療法を経て、コワルスキの骨髄は完全に破壊された状態にあった。今日はそこに新しい幹細胞を移植しているところだ。幹細胞を採取した看護師および医師から成るアフェレーシスのチームが、コワルスキの個室を出入りしている。

「セイチャンはいつ戻ってくるんだ?」隣に座るペインターの問いかけでグレイは我に返った。

グレイは姿勢を正して咳払いをした。「二日後です」

セイチャンは息子のジャックを連れての香港滞在を二週間延長していた。男の子の祖母がもっと一緒にいたいと希望したためで、その女性の要望を拒むことなどできるはずがなかった。グレイがセイチャンと息子とこんなにも長期間、離れて暮らすのは初めてのことだった。落ち着きなく上下する膝は、二人が帰国するまでの時間を体が計測しているかのようだ。

「彼女はまだ怒っているのか?」ペインターが訊ねた。

「かなり」

グレイはそのこともセイチャンが帰国を遅らせた一因で、彼女が罰を与えようとしているのではないかと勘繰っていた。グレイが無事に帰還したことを喜ぶ一方で、セイチャンはスリルに満ちた任務を逸したことに対して今もへそを曲げていた。

グレイはペインターの方に体を向け、話題を変えようとした。「ノラン・ド・コスタの消息に関しては？」

ペインターはため息を漏らした。

「キャットが世界各地の情報機関を総動員して徹底的な捜索を進めている。だが、彼は地球上から忽然《こつぜん》と姿を消してしまったとしか考えられない」

コンゴ民主共和国での一連の出来事の後、ド・コスタのクルーザーが川岸に座礁した状態で発見された。船内で見つかったのは損傷の激しいンゴイの死体だけだった。ノランの消息は不明のままだ。会社は彼の行方に関してまったく知らないと繰り返し主張している。だが、確かなことは誰にもわからない。どこかに身を潜めてほとぼりが冷めるのを待っているのかもしれない。ただし、再び姿を見せたとしても、その時にはもう会社は残っていないだろう。ＣＥＯによる犯罪を受けてド・コスタ鉱業は解体されつつあり、その資産は現在進行中の治療支援の費用に充てるために売却されている。

また、山間部で発見された金の大鉱床は、コンゴ民主共和国の植民地支配のサイクルにようやく終止符を打てるのではと期待されている。同国の自治を今後何十年間もまかなえるだけの埋蔵量があるとされ、中国や他国の政府に依存する必要性からの脱却が見込まれる。それに加えて、考古学的な注目や世界的な関心の高まりで多くの人たちの目がその金鉱に向けられれば、現地を保護する助けにもなる。

盆地のほかの部分は大きなクレーターが残っているだけだ。はるか昔から人知れず存在していた驚異の世界は、たった一度の爆発で消滅してしまった。爆弾の炸裂後、火災が盆地全体に広がり、すべてを焼き尽くした。グレイたちはかろうじて炎を逃れて合流地点までたどり着き、救援のヘリコプターに乗り込んだのだった。

一カ月後の今でも、グレイはやるせない思いでいる。あれだけの規模の破壊の中に何とかして希望の光を見出そうと、ティエンデの最後の言葉を思い浮かべる。〈森が新しく成長するためには火が必要な場合もある〉治療薬を入手できたにもかかわらず、グレイは数々の死や破壊を招き、大勢の人々が土地を追われる結果になったことが納得できずにいた。

そう感じるのはすべてが回避可能だったというところが大きい。治療薬は最初からずっと、自分たちの手元にあったのだから。事実が判明した後、グレイはファラジを問いただした。少年の主張によると、ウォコ・ボシュはンドップ像の重要性についてや、箱の中に別の箱があったこと、貴重な宝物の中に別の宝物が隠されていたことを、まったく知らなかったという。

「誰も知らなかった」ファラジはきっぱりと言った。

どうやらそれはシェパード牧師が隠していた秘密で、監視および管理の役割を担って盆地にとどまったティエンデだけに教えていたということなのだろう。牧師は母樹に敬意を払い、その秘密を胸にしまい、共有できるのはそれに値すると見なされた人物だけにしたいと考えていたに違いない。自分がそれに値すると証明するためには、その人はクバ族と関連する手がかりを追いながら同じ旅路をたどり、最後に裁きを受ける必要がある。

〈そして木は俺たちを値しないと見なした――だが、値すると見なしてくれた人がいた〉

グレイはティエンデが優しく手に触れた時のことを思い返した。グレイのことを値する人間だと断言し、シェパード牧師の百年以上に及ぶ秘密を明かしてくれた。待合室に座るグレイはその手をさすりながら、今もなお、本当にそうなのだろうかと疑問を感じていた。

〈俺は値する人間なのか？〉

ペインターはそんなグレイの仕草から別の件を思い出したようだ。「ＤＡＲＰＡから話を聞いた。モンクの義手の最新版を製造する計画は順調なようだ。本人もあれこれと細かい注文を出して、担当者を悩ませている」

グレイは笑みを浮かべた。「すべては手を何度も爆破させせないですむようにするため」

「納得するまで食い下がって、担当者を解放してくれないらしい」

「犬が骨をくわえたらなかなか離そうとしないのと同じですね」グレイは言葉の選択を誤ったと思った。チームの全員がジャングルから無傷で生還できたわけではないことを思い出したからだ。はっとして息をのんでから、すぐに話題を変えて廊下の奥を指し示す。

「骨髄移植でコワルスキの病状が回復に向かう可能性は？　医師たちからはっきりした話を聞いているのでは？　彼らはどんな見解を述べていたんですか？」

「そうだな、担当の癌専門医は期待を示していて、以前よりも明るい見通しでいるのは確かだ。ジャングルの例の光る池で何があったのかはともかくとして、それが彼の容体を好転させたようだ。それも大幅に。数値は全体的に改善している。医師たちが今回の処置を急いだ理由はそこにある。再び悪化する前に手を打っておこうということだ」

「ということは、治ったわけではないんですね？」グレイは確認した。

ペインターは肩をすくめた。「何とも言えないな。血液検査からは、コンゴ民主共和国の各地で使用されているような治癒効果のあるウイルスの存在は認められなかった。たとえ何かがコワルスキに分け与えられたとしても、すでに消えてしまったということだ」

グレイはティエンデの言葉を思い返した。〈彼女は贈り物を惜しみなく分け与えるが、それは長くは存在しない。ひとたび摂取すればたちまち弱まる〉

「我々はティエンデのウイルスをいまだに理解できていない」ペインターが認めた。「コンゴで治療を受けている患者の体内でもすぐに消えてしまう。また、ほかの治癒力は有していないらしく、延命や長寿をもたらす能力は持っていない」

「少なくとも、このバージョンのウイルスは」グレイは言った。

「そういうことだ。ティエンデ・クビクムのこの菌株はオムニウイルスの攻撃専用に作られていると思われる。そのほかの力は持たない。しかも、任務をまっとうすると消滅する。その遺伝コード内にはほかにも何らかの奇跡が埋め込まれていて、解き放たれるのを待っているとしても、我々の科学力ではそれを手に入れることができない」

〈けれども、それが可能な力を持っている存在もあった〉

グレイの脳裏に母樹の姿がよみがえった。あれは表向きの姿にすぎなかった。本体は地中深くに隠れていて、木の根と菌糸によるネットワークを張り巡らし、他に類を見ないような知性を備えていた。

廊下の先で動きがあり、グレイはそちらに注意を向けた。マリア・クランドールのスリムな姿が現れた。医療用ガウンに身を包んでいて、帽子とマスクも着用している。マリアが二人に向かって手袋をはめた手で合図した。

「面会ならいつでもどうぞ」マリアが呼びかけた。「治療は終わったから」

グレイとペインターは彼女のもとに歩み寄った。扉の前まで来ると、マリアがガウン、マスク、手袋などの防護具の着用法を教えた。

「面会は短時間でお願い」マリアが注意を促した。「彼はかなり消耗しているから」

「わかった」ペインターが答えた。

グレイもうなずいて約束した。

二人は防護具を身に着けてから病室に入った。免疫力を持たない患者へのリスクから、感染予防対策は徹底されている。

室内に入ったグレイはコワルスキの状態に驚いて足がもつれそうになった。化学療法と放射線治療を受け始めて以降の彼に会うのはこれが初めてだった。幽霊のような大男がベッドに横たわっていた。顔は青白く、目の下にはくまができていて、髪の毛は一本も残っていない。

それでも、寝ているコワルスキはベッドからはみ出しそうで、以前と変わらない筋肉質の巨体がそこにあった。

コワルスキの目が面会に訪れた二人をにらみつけた。こんな姿の自分を見られることがきまり悪いのだろう。もっとも、それがいつものコワルスキの表情でもあった。

グレイは背中の後ろに隠していたプレゼントを見せた。特注で作ってもらった贈り物だ。感染予防対策のために透明なビニールで覆われているものの、それが何かは一目でわかる。

コワルスキの好みをよく知るマリアが笑みを浮かべた。「素敵じゃない」

プレゼントはふわふわのテディベアで、肩にはコワルスキがジャングルでなくしてしまったシュリケンのレプリカを担いでいる。

「いや、くだらねえな」大男が言った。だが、グレイが引っこめようとすると、コワルスキは両手を伸ばして奪い取った。「でも、ｅＢａｙで売ればいいか」

「そんなことをする気なんてないくせに」マリアがたしなめた。「でも、その方がいいかも。そろそろ自宅の置き場所がなくなりそうだから」

コワルスキがテディベアを引き寄せ、自分のすぐ横のベッドの上に置いた。大きな手で頭をなでているが、まだどこか不満そうだ。

「どうしたんだ?」グレイは訊ねた。

向き直ったコワルスキは明らかに落胆していた。「本物のシュリケンも持ってきてくれたらよかったのに」

南アフリカ標準時　午後六時二十分
南アフリカ共和国　スピッツコップ動物保護区

タッカーは広々とした三階建ての建物の木製のポーチに一人で座っていた。足もとの板は受け材や支柱と同じ白漆喰《しっくい》で処理してある。天井の大きな扇風機が空気をかき混ぜているものの、暮れつつある午後の熱気を冷ます役目はほとんど果たしていない。暑さをしのぐためにタッカーのすぐ横に置かれた冷えたビール瓶には、表面に結露ができていた。

太陽は地平線の近くにまで傾いている。果てしなく広がるサバンナにはアカシアやブッシュウィローの茂みが点在し、地面から立ち昇る熱気で揺らめいて見える。近くに目を移すと、スプリンクラーが約五十メートル四方の青々としたバッファローグラスに水を散布していた。バッタが脚をこすり合わせて鳴らす音があちこちから聞こえ、いつまでも終わることのない音を奏でている。

遠くではンコモ兄弟がナイトサファリに向かう観光客の一団の出発準備中で、安全対策について説明している。保護区のこの一角で銃の所持が認められているのは兄弟だけしかいない。動物を狙えるのはカメラのレンズを通してだけだ。兄弟たちは密猟者たちからこの土地を守り続けている——競合するツアー会社の進出とも争わなければならない。

タッカーは数年前にこのラグジュアリー・サファリツアーズに投資し、兄弟とともに共同オーナーになった。それ以来、この保護区を訪れたのは数えるほどしかなく、事業と土地の管理は兄弟に任せていた。タッカーは一カ所に長くとどまることが性に合わず、すぐに次の目的地に向かいたくてたまらなくなる。それでも、いつでも歓迎してもらえる家のような場所があるというのは悪くなかった。

椅子に座って体を揺らす今も、タッカーはそんな旅へのあこがれを感じていた。ただし、近いうちに旅に出られるというわけでもない。

タッカーがスピッツコップを訪れたのは療養が目的だった。足首はまだギプスを装着したままだが、数百針分にも及ぶ全身の傷の抜糸は二週間前に自分の手ですませた。兄弟たちも手伝ってくれたが、痛みに耐えながらの一時間にも及ぶ作業だった。爆弾の破片はほとんどを取り除くことができたが、まだ数個は体内にとどまったままだろう。頬に開いた穴はふさがったものの、大きな傷跡が残っている。

ポーチに出るのを夕暮れまで待った理由はそこにあった。毎日この時間にはポーチを独り占めできる。

〈宿泊客を怖がらせたくないからな〉

日没間近の夕日を眺めていたタッカーは、この土地に通じる未舗装の道に土煙が上がっていることに気づいた。ゆっくりと移動しながらこちらに近づいてくる。時間に遅れたナイトサファリの参加者だろう。道沿いにはこの施設のほかは何もない。

タッカーはビールを一飲みすると、瓶を置いた。

そして待つ。

土煙の中からトヨタのランドクルーザーの新型モデルが姿を現した。車体の色がよくわからないほど土まみれになっている。車はンコモ兄弟とツアー用のトラックがある方には曲がらず、直進した。キャトルガードを乗り越え、砕いた花崗岩を敷き詰めた円形の進入路に乗り入れる。車がポーチのすぐ手前で停まった。

タッカーは建物内に戻ろうかと考えた。

ところが、扉が開くと見覚えのある人物が車から出てきた。

タッカーを見て、フランクが手を上げた。

タッカーは椅子の揺れを止めて立ち上がると、ギプスをはめた足首をかばいながらポーチの手すりに歩み寄った。「フランク、こんなところで何をしているんだ？　どうして電話をかけてから来なかったんだ？」

「来るなと言われると思ったからだよ」フランクがランドクルーザーの後部に回り込み、リアゲートを開けた。

リアゲートが陰になってタッカーの視界が遮られた。しばらく見えなくなったフランクが、再び姿を現した。リアゲートを下げてから膝で押して閉め、タッカーの方に向き直る。両腕にプラスチック製の運搬用ケージを抱えている。友人はケージを持ったままポーチの段に歩み寄った。

タッカーは嫌な予感がした。

〈まさか……〉

フランクはケージをポーチに運び上げ、白漆喰を塗った床に下ろした。ケージが床にぶつかった時、中から怒りのこもったうなり声が響いた。

「まだ心の準備ができていない」タッカーは言った。「おまえにもそう伝えたはずだぞ」

フランクはその反応を無視して体をかがめ、ケージの扉を開けた。「ミズーリ州の悪質なブリーダーのもとから救い出された」フランクが説明した。「ひどい場所だったらしい。この子は死んだ母犬の脇に横たわっていて、きょうだいの中で助かったのはこいつだけだった」

タッカーはまだ受け入れることができずに首を左右に振ったが、ふと気づくとケージの前で床に片膝を突いていた。薄暗いケージの中をのぞき込む。生後三カ月ほどの子犬が毛を逆立て、頭を低くした姿勢で奥にうずくまっていた。小さな黒い目からは怒りがあふれ出ている。全身の毛が警告を示して細かく震えていた。黄褐色の体毛は背中の一部が鞍《くら》を取り付けたかのように黒くなっていて、犬種がベルジアン・マリノアなのは間違いない。

「ラックランド空軍基地で軍用犬教育プログラムへの適性検査が行なわれた」フランクの説明は続いている。「不合格だった。あまりにも気性が荒くて獰猛《どうもう》なため、矯正不能と判断された」

その言葉を証明しようとするかのように、子犬が前に飛び出してタッカーに嚙みつこうとしたが、すぐに奥に引っ込んだ。

「なるほどな、よくわかるよ」タッカーはつぶやいた。

フランクが腰に両手を当てた。「こいつを手なずけて、きちんと教育できる人間がいるとすれば——」

タッカーは立ち上がり、後ずさりした。子犬は開け放ったままのケージの扉にじりじりと近づき、外の世界に向かってうなり声をあげたまま、今にも逃げ出さんばかりの構えだ。

「君ならこいつを訓練できる」フランクが主張した。「きっとできる」

タッカーは首を左右に振った。「俺の役目じゃないよ」

後方で鼻先が網戸を押し開けた。

タッカーは後ろを指差した。「担当するのは彼だ」

ケインが木の床を鳴らしながら外に出てきた。左の前足には３Ｄプリンター製のギプスが装着されたままだ。

島でケインの命を救ったのはフランクだった。ケインを抱えて病棟内に駆け込み、残っていたわずかな物資を使い、口移しの人工呼吸をするなどして懸命な治療に当たってくれたのだ。そのうちにコンゴ民主共和国軍が到着し、彼らには医療チームも同行していた。ケインは最高の治療を受けた。医師たちのおかげで脚を切断せずにすんだ。ただし、元通りに回復するかどうかはまだわからない。

それはタッカーも同じだった。

「君にはこいつが必要だ」フランクが言った。「君にも、ケインにも」

子犬がうなり声をあげ、近づくなと威嚇した。

ケインが前に進み出て、胸の奥深くから遠い雷鳴を思わせるうなり声を返した。四本の脚でしっかりと立ち、耳をぴんと立て、険しい眼差しを向ける。

そのうなり声に押し戻されるかのように、子犬が一歩後ずさりすると、ゆっくりと腹這いの姿勢になった。小さな鼻先を床にぴたりとくっつけ、ここの本当の主人に従う態度を見せる。

ケインがタッカーに視線を向けた。

タッカーは肩をすくめた。「おまえはどう思う、相棒？　挑戦を受けて立つ気はあるか？」

ケインがしっぽを振った。

タッカーは笑みを浮かべた。

〈俺もだよ〉

エピローグ

モリンボは星明かりに照らされた岩の尾根の外れに立つ。三日月が夜空の高い位置にかかる。傍らに付き添うバラの体毛はひんやりしていて、その目は明るく輝いている。

後方のジャングルからは鳴き声やさえずり、低い音や甲高い音がひっきりなしに聞こえる。はるか昔からの呼吸を続けている。前方の暗い盆地には灰と焼け焦げた岩しかない。かつて暮らしていた場所では何カ所かで小さな炎が燃えていて、灰の中を探す者たちがいた場所を示している。

モリンボの左右に五人ずつ、合わせて十人のハンターたちが、付き添う仲間とともにこの最後の務めを果たしている。

部族のほかの人間たちはジャングルの中で待っている。彼女は最後の瞬間まで彼らを守ってくれた。彼らの耳だけにしか聞こえない警告を風に乗せて発してくれた。悲しみと感謝を伝えるハンターたちの歌はすでに終わっている。

合唱は夜を徹して続き、夜明けが近づきつつある。

そろそろ時間だ。

彼女は去った。けれども、部族はまだここにいる。

最後の一つの目的のために。

モリンボは皮を縫い合わせて作った袋を握り締める。ほかの十人のハンターたちの首にも、同じ袋を吊るした紐が掛かっている。モリンボは指先を使って神聖な袋を開く。

夜は暗いが、袋は輝きを発する――その中には大きな黒い種が一粒、光る銀色の繊維に包まれて入っている。

モリンボは袋の口を閉め、紐を首に掛ける。

一言も発することなく、十人のハンターたちが音を立てずにジャングルに分け入り、ツチオオカミとともに姿を消した。それぞれが十の異なる方角を目指す。

モリンボは盆地の残骸を最後にもう一度だけ見てから、二度と訪れることのない場所に背を向けて別の方角に進む。バラも影となって付き添う。

走るうちに確信が高まる。一歩進むたびに強くなるその思いは、太陽に向かって伸びる若い枝のようだ。

彼女はもういない――けれども、きっと再び現れる。

著者から読者へ：事実かフィクションか

世界が新たな感染症から救われたところで、防護マスクを外してこの物語の背後にある題材をのぞき見ながら、どこまでがしっかりと事実に根差していて、どこまでがふわっとしたフィクションの産物なのかを見極めていきたいと思う。この小説はウイルスについての諸理論と進化について深く掘り下げ、自然界の将来——およびその中における我々の立ち位置について見てきた。だが、これから訪れることに対する科学的な調査に踏み出す前に、まずは過去に目を向けてみよう。そこにはしばしば未来に関する多くのことが記されている。

コンゴの歴史

冒頭の「歴史的事実から」のところで、植民地主義の波が押し寄せる中でのコンゴの人々に対する非道な行ないについて詳しく記した。また、当時の真の英雄の一人だったウィリアム・シェパード牧師についても触れた。彼はコダックの箱型カメラと強い決意だけを武器に、そうした蛮行に世界の目を向けさせるうえで中心的な役割を果たした。また、クバ族（「ナイフを投げる人々」を意味する「バクバ」とも呼ばれる）と交流した初めての外部の人間の一人でもある。クバ族の人たちの改宗は思うように進まなかったが、それでも牧師は彼らから尊敬された。本書でも記したように、クバ族の人たちを人食い人種のザッポザップから守った。

当時のことやシェパード牧師に関してもっと詳しく知りたいのならば、私が本書を執筆する際に歴史面でのバイブルとなってくれた以下の二書をお勧めしたい。

ロバート・エドガートン著　*The Troubled Heart of Africa: A History of the Congo*
ダーヴィッド・ヴァン・レイブルック著　*Congo: The Epic History of a People*

プレスター・ジョンと彼の失われた王国

アフリカのもっと過去にまでさかのぼると、歴史と神話が融合する。私は以前から伝説上の人物プレスター・ジョンにまつわる物語を書きたいと思っていた。言い伝えによると、彼は飼い葉桶の幼子《おさなご》イエスのもとを訪れた東宝の三博士バルタザールの子孫に当たる。その王国は無限の富を有し、若返りの泉や契約の箱、ソロモン王の金鉱などの伝説とも関連がある。何世紀にもわたって、ヨーロッパの支配者たちは彼の王国の捜索のために使者を派遣したが、その多くはジャングルで消息を絶ち、帰国することはなかった。そうした使者の中には教皇アレクサンデル三世のお付きの医師もいたという。言い伝えや伝説がいかに多くの人々を引きつけるかの好例だと言えるだろう——本当に伝説ならば、の話だが。

クバ族

この話題は過去から現在にまでつながる。クバ族は今でもコンゴ民主共和国で暮らしている。すでに述べたように、彼らは実際にウィリアム・シェパード牧師と親交があった。クバ族の手工芸品は過去も、そして現在も、世界中で評価されている。その範囲はンゲディ・ヌ・ンテイやンドップ像などの精巧な彫刻作品からラフィアヤシを用いた精緻《せいち》なラグにまで及ぶ。あのピカソも一九〇七年にパリでクバ族の作品の展示を鑑賞し、キュビズム時代には彼らの影響を受けていた。だから本書の中で彼らの芸術的才能を扱わずにはいられなかったのだ。

ピグミー

小説内に登場したもう一つの部族も、コンゴ民主共和国において長く魅力的な歴史がある。こんにちのピグミーは複数の集団から成り、アフリカ中部各地に分散して異なる言語を話しているが、かつては一つのまとまった部族で、九万年前にまでさかのぼる共通の祖先を持つ。彼らの土地に次々と入り込んできた農民たちのせいでこの一つの部族が多くに分断されたのは、比較的最近――約二千八百年前のことである。現在ではほかの仲間たちの存在すら知らない部族もあると言われる。それと同じように、人類学者たちにとってもこの人々の歴史の多くは未知のままだ。遺伝学者の間では彼らの身長が低い理由について、今も議論が分かれている。ピグミーの起源ですら明らかになっていない。そう考えると、本書に登場したような秘密を守りつつ、ジャングルの守護者としての務めを果たし続ける失われた部族がいないとは言い切れないのではないか。

ひとまずそうした歴史的な謎は忘れて、現在に話を進めるとしよう。

こんにちのコンゴ民主共和国

第一次および第二次コンゴ戦争（一九九六～二〇〇三）という立て続けに発生した悲惨な戦乱の結果、コンゴ民主共和国は今もなお不安定な情勢にある。国内では腐敗や汚職が横行し、トランスペアレンシー・インターナショナルによる「腐敗認識指数」では百八十カ国中の百六十八位に位置付けられている（訳注：最新の二〇二二年版のデータでは百八十カ国中百六十九位。参考までに、日本は十八位、最下位の百八十位は南スーダン）。しかも、同国は世界でも有数の天然資源の豊かさを誇りながら、世界で最も貧しい国の一つでもある。反乱軍、民兵、軍閥が多くの地域で幅を利かせている。密猟も盛んだ。一方で、コンゴ自然保護協会（ＩＣＣＮ）のメンバーのように、この国の未来のために闘う多くの英雄たちも存在する。本書に登場したンダエのようなエコガードたちは、密猟者たちよりもはるかに悪質な敵からそうした天然資源を守るため、命の危険を冒しながら日々闘っている。揺れ動くこの国にはほかの国家――最近では特に中国が、資源を奪い取ろうと触手を伸ばしていて、そんな新たな植民地主義の時代はウィリアム・シェパード牧師の頃に報告されたものに匹敵するような残酷さと破壊をもたらしかねない。このささやかな小説がコンゴ民主共和国の薄暗いジャングルの下での出来事に少しでも明るい光を当ててくれればと願う。

ついでに触れておくと、本書中で記述したカメルーンのニオス湖での悲劇的な出来事は一九八六年に実際に起きていて、湖からのメタンの噴出により千八百人が窒息死した。同じようなリスクはコンゴ民主共和国とルワンダの国境にまたがるキブ湖にも存在し、周辺に暮らす人々の数はそちらの方がはるかに多い。キブ湖が湖水爆発を起こせば数百万人の死者が出ると考えられていて、地震が頻発するその地域では爆発の可能性が十分にありうる。

野獣とコウモリに関して

最初に、元獣医の作家が生き物の創作にのめり込んでしまったことを許していただきたい。言うまでもなく、本書に登場する変異した昆虫や動物の多くは私の想像が生み出したものにすぎない。その一方で、まったく現実離れした形にはせずに、ほかの種からの要素を借用しつつ、基本的な行動や生態は守ろうと努めた。だが、そんな実際の行動や生態の中にも空想の産物としか思えないようなものがあるかもしれない。例えば、共感力を持つアリ（事実）や、地下に閉じ込められたまま独自の進化を遂げているオレンジがかった色の小型クロコダイル（事実）などだ。また、ジャッカルのオスとメスのつがいが一生行動を共にすること、カバの気性の荒さ、ツチオオカミという生き物の存在に光を当てることも楽しかった。

本書ではコウモリとその不思議な生態、なかでもウイルスを体内にため込む変わった能力に関して、多くのページを割いた。ＣＯＶＩＤ‐19の流行期には特に関心の高い問題ではないかと考えたからだ。本書に登場するウイルスとコウモリに関する記述はすべて事実である。ウイルスがコウモリ独自の免疫系と深く関わっていることも、ウイルスとコウモリの飛翔能力には関係があることも、ウイルスがコウモリの寿命の長さに貢献していることも、さらにはウイルスのＤＮＡがコウモリの、そして私たち人間の遺伝子に取り込まれていることも。

次にウイルス全般についてもっと詳しく見ていこう。内容別に分割して、より理解しやすくしたつもりである。

ウイルスの起源

この小説ではウイルスの起源に関する最新の説の多くを扱った。例えば、ウイルスは「生きている」と見なすことができるのか、それとも自己複製する機械にすぎないのか、などである。その議論は結局のところ、どちらが最初なのかという話に行き着く――ニワトリが先か、それとも卵が先か、と同じように。ウイルスはより大きなほかの細胞から退化したものなのか？　あるいは、まずウイルスが存在し、この惑星の生命を作り出したのか？　後者は「ウイルス・ワールド仮説」として知られる。細かい議論はウイルス学者に委《ゆだ》ねたいと思うが、私個人としては後者の説の方に傾きつつある。なぜか？　その理由は単純で、胚《はい》の発達から免疫機能に至るまで、我々の重要な遺伝子の多くはウイルス由来だからだ。ウイルスから獲得したＡＲＣ遺伝子も、我々の大きな脳の基盤となっている。ウイルスがなかったら、我々は誰一人として存在していないかもしれないのである。

ウイルスの捜索

本書で記述したフランクの仕事は極めて重要である。そう、彼はケインの命を救ったが、私が言いたいのはそのことではない。過去百年間で新たに発生した疾病のうち、エボラ、ＨＩＶ、ＣＯＶＩＤ-19を含めた七十五パーセントは、動物から人間に感染したもので、これは人獣共通感染として知られる。スミソニアンのグローバル・ヘルス・プログラムは、新たなパンデミックの引き金となりうる次の病原体の捜索に取り組む多くの組織のうちの一つである。同プログラムは多くの認定獣医などの専門家を採用してデータの収集や現地でのサンプルの採取を進め、潜在的な脅威のデータベース作成を行なっている。

私が話をしたウイルス学者の多くが、特にＣＯＶＩＤ-19のパンデミック以降に恐れていたのは、彼らが「疾病Ｘ」と名づけたものである。これは急速に拡散する力を持ち、現代科学では予防法も治療法もない理論上の病原体のことだ。ＣＯＶＩＤ-19はその恐ろしい疾病Ｘにどのくらい近いものだったのだろうか？　ＣＯＶＩＤ-19のパンデミック中にこの小説のための調べを進めることは精神衛生上、いいことではなかったと述べるにとどめておこう。我々ははるかにまずい事態をかろうじて逃れることができたのである。そして次の時に備えておくためにも、我々にはフランクのような人々ができるだけ多く必要である。そう、「次の時」は必ず訪れるのだから。

巨大ウイルス

一九九二年、最初の巨大ウイルスがアメーバから分離された。その大きさから、当初は誰もがバクテリアだと思った。二〇〇三年になってようやく、ウイルスとして再分類された。それ以降、ほかにも多くの巨大ウイルスが発見されている。ただし、理解が進んでいるわけではない――まったくと言っていいほど進んでいない。巨大ウイルスには何千もの遺伝子が含まれていて、そのほとんどは未知のものだ。例えばパンドラウイルスの場合、二千五百もの遺伝子のうちの九十パーセントは地球上で見つかったほかのものとは似ても似つかない。ヤラウイルスに至ってはすべての遺伝子が未知のものなのである。そのようなウイルスは不思議なまでにしつこく、死んだと思われていても生き返る。モリウイルス・シベリクムという巨大ウイルスは、シベリアの永久凍土の中から発見された。三万年もの間、凍った状態で眠っていたにもかかわらず、そのウイルスは蘇生した。疾病Xを探すのであれば、このような巨大ウイルスを特に警戒するべきなのかもしれない。

オムニウイルス

パンデミックの間にウイルス学者との会話に時間を割きすぎた元獣医を許していただきたい。ウイルス版のフランケンシュタインは私の創作だが、そのアイデアはCOVID-19以前から温めていた。あるウイルスが遺伝子編集に使用されるクリスパーのような技術を用いて自らの身を守るという話を読んだことがきっかけだった。また、私自身の獣医としての経験や、寄生原生生物のトキソプラズマがネズミだけでなく我々人間の行動も変えてしまうという話も参考にした。さらには、一つのウイルスが異なる症状を引き起こすことにも興味をひかれた。例えば、狂犬病は「攻撃的な」状態、もしくは「麻痺性の」状態のいずれかの形で現れうる――本書を読んだ皆さんなら思い当たる節があるはずだ。狂牛病も同様で、厄介なプリオンが原因となるこの病気の場合、牛では攻撃的な行動を引き起こす一方で、人間では気分の落ち込みや体の協調の喪失という症状が現れる。プリオンの起源はウイルスだとする説があることも知った。この自己複製するタンパク質の断片は、実際にウイルスが捨てたものかもしれないのだ。

私はそうした情報をすべて取り入れたうえで、本書に登場するオムニウイルスを創作した。しかし、これまでに述べたことを考えてみると、それはどこかに実在していて、母なる自然が新参者にすぎない二足歩行の生物にうんざりするのをじっと待っているのかもしれない。

母なる自然が出てきたところで……

母なる自然――豊かさと恐ろしさ

私は以下に示した一冊目の本を出版直後の二〇一六年に読んだ。森は互いにつながった存在で、しかもそれは木と木だけの話ではなく、その下にある菌類のネットワークも含めてすべてが結びついているという内容に魅了された。それ以来、この話題を小説の中で取り上げたいと考えていて、今回がちょうどいい機会となった。以前に執筆した小説『アマゾニア』で似た題材を扱ったが、新たな研究成果を取り入れてもっと広げたいと思ったのだ。この興味深いと同時に驚くべきテーマについてより詳しく知りたい方は、以下の三書を読むといいだろう。

ペーター・ヴォールレーベン著 *Hidden Life of Trees: What They Feel, How They Communicate ―― Discoveries from a Secret World*（『樹木たちの知られざる生活 森林管理官が聴いた森の声』（早川書房））

ステファノ・マンクーゾ＆アレッサンドラ・ヴィオラ著 *Brilliant Green: The Surprising History and Science of Plant Intelligence*（『植物は〈知性〉をもっている 20の感覚で思考する生命システム』（ＮＨＫ出版））

スザンヌ・シマード著 *Finding the Mother Tree: Discovering the Wisdom of the Forest*

それと同じように、私は菌類やキノコの生態と進化の歴史について、なかでも生命が海から陸に上がるうえでのその役割について、以前から興味を覚えていた。最古の菌類は実際にコンゴで発見された化石の中から見つかっていて、八億一千万年前のものと推定される。菌類は地球の原始の土壌の形成に一役買っていたと考えられ、そこに最初の植物が根を張るようになった。最古の生きている菌類がオニナラタケだというのも事実だ。オニナラタケは多くの場所に自生しているが、その最古のものはオレゴン州東部のマルール国有林にある。樹齢は推定八千年、その面積は七・五平方キロメートルに及び、重量は三万五千トンに達するので、世界最大の生物でもある。

ただし、「最古の」という称号に関しては、ユタ州の「震える巨人」ことパンドという強力なライバルが存在する。四万本以上の木から成るこの森は一つの根を共有するアメリカヤマナラシのクローン群で、重量は六千トン、樹齢は八万年と推定される（百万年を超えるとする説もある）。

ただし、どちらがその称号を手にしようとも、我々人間がまだ非常に若いという事実に変わりはなく、その若さゆえに、この地球という星の行く末を安心して委ねられるだけのマナーが身についていないのである。

武器や兵器

本書にはすさまじい破壊力を持つ各種の兵器がたっぷり詰まっている――あと、頑丈なロシア製の乗り物も。シャトゥンＡＴＶ４×４は一見の価値がある。このタフで敏捷な乗り物の姿をぜひともネット上の映像で見ていただきたい。私も一台欲しいと思う――ジャングルを横断することになった場合に備えて（あるいは湿地帯を横断する時のために、あるいは難しいパー3のホールを回る時のために)。

兵器に話を移すと、MOABは実在する地中貫通爆弾である。Massive Ordnance Air Blast(大規模爆風爆弾兵器)の略だが、Mother of All Bombs(すべての爆弾の母)の呼び名の方がよく知られていて、小型の戦略核兵器並みの威力がある。本書で紹介したロボットドッグ——四足歩行無人地上車両(Q-UGV)も実在する。私個人としては体毛の生えているバージョンの方が好みなのだが。

銃に関しては、グレイが使用したケルテックP50も実在する。ただし、コワルスキのお気に入りで、とがった円盤状の物体を発射するシュリケンは私の創作である——だが、似たような武器の試作版は数年前に製造されている。また、タッカーが遠隔操作で小型の爆弾(閃光発音筒、発煙弾、手榴弾)を投下できる、ケインのワイヤレスの弾帯も私の空想の産物である。タッカーがケインを独り占めするのはずるいではないか。

ケインの話が出たところで……

軍用犬とハンドラー

タッカーとケインは私のお気に入りのキャラクターだ。だが、この最強コンビはどのようにして誕生したのか? 兵士と軍用犬という勇敢なコンビに私が初めて出会ったのは、二〇一〇年の冬にイラクとクウェートを回るユナイテッド・サービス・オーガニゼーション（USO：米軍兵士とその家族の福利厚生のために活動する非営利団体）のツアーに参加した時だった。そんなペアの能力を目の当たりにするとともに、そのユニークな絆を認識したことで、そうした関係を描写して敬意を表したいと思ったのだ。その目的のため、私は米軍の陸軍獣医団の獣医と話をし、ハンドラーにインタビューを行ない、軍用犬と会い、そんなペアが一つの戦闘チームへと成長していく姿を目にした。かつての、および現役のハンドラーから聞いた話をできるだけ正確に記述するように心がけた。軍用犬とハンドラーに関してもっと詳しく知りたい読者には、マリア・グッダヴェイジによる二冊の著作を強くお勧めしたい。

Soldier Dogs: The Untold Story of America's Canine Heroes（邦訳『戦場に行く犬 アメリカの軍用犬とハンドラーの絆』（晶文社））

Top Dog: The Story of Marine Hero Lucca

ケインの身に起きたことに関してはかなりの数の抗議メールが届くのではないかと覚悟している。なぜそんなにも残酷な仕打ちをしたのか？　私はこれまでにタッカーとケインを四作の長編小説、一作の中編小説、一作の短編小説で登場させてきた。それだけ長く書き続けていると、そうした勇敢な四本足の兵士が直面する苦難をできるだけリアルに描写しないでいることは、かえって失礼に当たるのではないかと感じたのだ。ケインを見舞った運命は多くの読者の心を傷つけたかもしれないが、私は世界各地での軍用犬の犠牲に、任務中に命を落としたり脚を失ったりする彼らに敬意を表したかったのだ。もちろん、タッカーとケインの物語がこれで最後というわけではない。ケインの暴れん坊の弟子にも名前が必要だ。いいアイデアがあれば、私のウェブサイトからメールで提案してほしい。もしかすると、いいことがあるかもしれない。

今回はここまでだ。賢明な読者はこの小説にある重要な人物——暗殺者から転じた味方が登場しなかったことに気づいていることだろう。心配は無用。セイチャンは香港から帰ってくる。今回は活躍の場がなかったものの、間もなく彼女はこれまでに経験したことのないような試練に直面する——復讐《ふくしゅう》に燃える人物が復活し、シグマがそのターゲットになるのだ。だから英気を養い、気持ちを引き締め、冒険に備えてほしい。その冒険はすべてを変えることになる——そう、すべてを。

謝辞

私のお気に入りのミュージシャンの一人、ローリー・アンダーソンは「Language Is a Virus（言葉はウイルスだ）」というタイトルの曲を書いた。彼女の言う通りならば、どんな本でも感染を媒介するに違いない。この小説の場合、含まれている言葉は最初に目を通してくれた読者の一団のおかげでより力強くなり、彼らは私が物語を最も感染力の高い状態まで磨き上げる助けになってくれた。クリス・クロウ、リー・ギャレット、マット・ビショップ、マット・オール、レオナルド・リトル、ジュディ・プレイ、キャロライン・ウィリアムズ、サディ・ダヴェンポート、サリー・アン・バーンズ、デニー・グレイソン、リサ・ゴールドクールという面々だ。そしてコンゴ民主共和国周辺の地図を作成してくれたスティーヴ・プレイには特に感謝したい。また、デジタルの世界における作業と貢献に関して、デイヴィッド・シルヴィアンの名前をあげておかなければならない。数多くのネタや興味深い話を提供して、そのうちのいくつかが本書に採用されたチェレイ・マッカーター。そして本書で提起した話題の信憑《しんぴょう》性について最も役に立つ読み物を提供してくれたムーキーズにも特別な感謝を。もちろん、この業界のプロ集団で、誰にも負けないと私が断言できる素敵なチームの力なしでは、本書は形にならなかっただろう。いつも私を応援してくれるウィリアムズ・モロー社の皆さん、なかでもライエイト・ステーリック、ハイジ・リクター、ケイトリン・ハリ、ジョシュ・マーウェル、リチャード・アクアン、ケイトリン・ゲアリング、アンドレア・モリター、ライアン・シェパードにも、感謝の気持ちを捧げたい。最後になったが、制作過程のすべてにおいて中心的な役割を果たしてくれた人たちの名前をあげておきたい。素晴らしい編集者のリサ・キューシュと、勤勉な彼女の同僚のミレヤ・チリボガ、仕事熱心なエージェントのラス・ガレンとダニー・バロール（およびお嬢さんのヘザー・バロール）である。そしていつものように、本書に記述した事実やデータに誤りがあった場合は、すべて私の責任であることをここに強調しておく。その数があまり多くないことを願いつつ。

訳者あとがき

二〇二〇年の初めから流行した新型コロナウイルス感染症（COVID-19）は瞬く間に世界中を席巻《せっけん》し、二〇二二年九月末の時点で全世界での死者数は六百五十五万人に達した。日本は人口百万人当たりの死者数が六月十二日の時点で二百四十六人と、経済協力開発機構（OECD）加盟三十八カ国中で最も低かったが、それでも死者数は三万人を超えていた。その後の第七波の流行により、八月半ばからは人口百万人当たりの七日間平均の死者数および新規感染者数において、日本が世界最多を記録する日々が続いた（データはウェブサイト「Our World in Data」より）。また、海外への渡航や国内での移動の制限、流通網の停滞や麻痺、コンサートや修学旅行など各種のイベントの中止、リモートワークやリモート授業の拡大、マスクが欠かせない日々など、日常生活と経済の面でも大きな影響が及んだ。新型コロナは人類の歴史上で人の移動が最も容易になった現代社会におけるパンデミックの脅威をまざまざと見せつけた。

二〇二〇年の終わり頃だったと記憶しているが、「コロナの流行はシグマフォースが任務に失敗したからに違いない」そんな内容のツイートを目にした。もちろん、シグマフォースはフィクションの世界の存在なので流行の責任を負うことはないし、ツイートした人もジョークで発信したのだろう。ただ、コロナがシグマフォースに影響を及ぼしたことは間違いなさそうだ。

その理由を説明する前にまず、「シグマフォース」について簡単に紹介しておこう。シグマフォース（通称シグマ）とは、米国国防総省のＤＡＲＰＡ（国防高等研究計画局）傘下の秘密特殊部隊のことで、レンジャー部隊やグリーンベレーなどの兵士から選抜された、米軍でも精鋭中の精鋭の隊員たちから成る。彼らは科学の専門分野の再訓練を受け、その知識を生かしながら、米国の安全保障において重要な科学技術の保護、入手、および破壊という任務を遂行する。先ほども述べたように、シグマフォースは作者ジェームズ・ロリンズの創作だが、ＤＡＲＰＡは実在する機関で、軍事技術、ロボット工学、ナノテクノロジー、遺伝子工学など、幅広い分野にまたがる研究に携わっており、インターネットの起源になったシステムＡＲＰＡＮＥＴ（ＤＡＲＰＡの前身の機関ＡＲＰＡ：高等研究計画局に由来する名称）や、ＧＰＳを開発したことでも知られる。ＤＡＲＰＡのもとにシグマフォースのような極秘のチームが存在していないとは言い切れない。

そんな組織の活躍を描くのがこの「シグマフォース・シリーズ」で、主人公のグレイソン（グレイ）・ピアースをはじめ、モンク・コッカリス、キャスリン（キャット）・ブライアント、ジョー・コワルスキらシグマフォース所属の隊員たちや、かつて対立していたテロ組織「ギルド」の暗殺者で、現在はシグマの協力者（およびグレイのパートナー）になったセイチャンが、ペインター・クロウ司令官の指揮のもと、世界規模での危機、脅威、陰謀に挑む物語だ。

小説内の組織が現実の世界の感染症の影響を受けたというのはどういうことかというと、当初、シリーズ十六作目となる *Kingdom of Bones* は、アメリカで二〇二一年三月の刊行予定と発表されていた。それがその年の八月に変更された後、再度延期になって、実際に刊行されたのは今年の四月、最初の予定よりも一年以上遅れてしまった。これはコロナによる社会や経済への影響が出版界にも及んだせいもあったと思われるが、同じジェームズ・ロリンズによる新たなファンタジーもののシリーズ作品 *The Starless Crown* の方は、当初は二〇二一年九月の刊行予定が四カ月延びただけで、今年の一月に *Kingdom of Bones* よりも先に刊行されている。

その大きな理由は、現実の世界で新型の感染症が猛威を振るっている中で、ウイルスを題材にしたエンターテインメント作品を発表するタイミングになってしまったからだ。もちろん、作者は話題作りを狙ってあえて時期を合わせてこの作品を執筆したわけではない。本書の「科学的事実から」で明かしているように、それ以前から着想を得ていたということだし、シグマフォース・シリーズには過去にも感染症によるパンデミックの脅威を扱った作品があるので、シリーズの流れから外れたテーマというわけでもない。結果的に作者は出版に踏み切り（作品中に「新型コロナ」という単語は出てこないが、小説中の世界も「パンデミック」や「ロックダウン」を経験したことが示唆されていて、そうした記述は新たに書き足されたものかもしれない）、そのおかげで邦訳も『ウイルスの暗躍』として無事にお届けできることになった。ただし、作者の言葉を借りれば、「この本はパンデミック小説ではないが、それよりもはるかに恐ろしい」ということだし、実際にそう感じた読者も多かったのではないだろうか。

作品の舞台になるのはアフリカのコンゴ民主共和国。洪水に見舞われた住民たちのために設置された国連の難民キャンプで、奇妙な病気が見られ始めた。感染した人は無気力な状態になり、刺激にほとんど反応しなくなってしまうのだ。その一方で、キャンプ周辺の動物たちは、アリのような昆虫もヒヒのような哺乳《ほにゅう》類も、攻撃的になって人間を襲うようになった。病気の謎を解明するため、グレイをはじめとするシグマフォースの隊員たちはアフリカ大陸に飛ぶ。

その一方で、この奇病の存在を隠そうとする一団の存在も明らかになった。彼らは難民キャンプを破壊して医師たちを拉致しただけでなく、コンゴ民主共和国の大学を襲撃し、モンクとウイルス学者のフランクも連れ去った。その目的は何なのか？　グレイたちはウイルスの発生源を探してコンゴのジャングルの奥深くに向かう一方で、このシリーズに久し振りに登場したタッカー・ウェイン大尉は、強い絆で結ばれた相棒の軍用犬ケインとともに、拉致された人たちの奪還を目指す。

本書ではウイルスに関する最新の研究に基づき、その驚くべき生態や巨大ウイルスという存在、さらには人間のゲノムの半分以上がウイルスに由来する事実などが語られる。新型コロナウイルスとの闘いをどうにか乗り切れそうな私たちだが、この地球上にはるか昔から存在し、人間の遺伝子にも影響を及ぼし、その詳しい生態はおろか種類や数すらも一部だけしかつかめておらず、新型コロナウイルスの例でも明らかなように次々と変異する敵を相手に、この先どのように対処していけばいいのだろうか。その事実がパンデミックよりもはるかに恐ろしいことは確かだ。

一方、科学的事実とともにこのシリーズでもう一つの柱になっている歴史的事実では、ウィリアム・シェパード牧師に焦点が当てられている。彼は十九世紀末にコンゴで活動したキリスト教の黒人宣教師で、布教活動だけでなく、ベルギーのレオポルド二世によるコンゴの人々への残虐な行為を暴き、世界に伝えたことでも知られる。もう一人、本書で大きく扱われている人物が、そんなシェパード牧師と同じく黒人のキリスト教徒だったとされるプレスター・ジョンだ。桁外れの富を持つ国の王で、五百歳を超える長寿だったとされるプレスター・ジョンは、歴史上の人物ではなく伝説の中の存在だが、かつてローマ教皇が使者を送り、その富を探し求めてヨーロッパの多くの探検家たちがアフリカを訪れた

（そしてほとんどがそのまま消息を絶った）ことは、史実として記録が残っている。

ウイルスの正体の解明と奇病の治療法の発見のために、歴史的な側面からのアプローチでウィリアム・シェパード牧師が残した手がかりをたどりながら伝説のプレスター・ジョンの王国を目指すグレイたち。だが、発生源に近づくにつれて、ウイルスに感染した動物たちには身体的な変化も現れ始める。それはあたかも、大自然が人類に反旗を翻《ひるがえ》し、駆逐しようとしているかのようだった。一方、拉致されたモンクとフランク、医師たちは、謎の施設に監禁されながらも、科学的な側面からウイルスの研究に取り組む。そして、そんな彼らの救出に向かったタッカーとケイン。だが、奇病はジャングルからコンゴ民主共和国の都市部に広がりつつあった。果たしてシグマフォースは新たなパンデミックの発生を阻止できるのか？　視点を切り替えつつ三つのグループの動きを追いながら、いつものようにスピード感とアクションにあふれたストーリーが展開していく。

シグマフォース・シリーズの作品および日本でのシリーズ番号を記しておく（【　】内の数字はアメリカでの刊行年・刊行予定）。

⓪　*Sandstorm*【二〇〇四：邦訳『ウバールの悪魔』（竹書房）】
①　*Map of Bones*【二〇〇五：邦訳『マギの聖骨』（竹書房）】

②　*Black Order*【二〇〇六：邦訳『ナチの亡霊』（竹書房）】
③　*The Judas Strain*【二〇〇七：邦訳『ユダの覚醒』（竹書房）】
④　*The Last Oracle*【二〇〇八：邦訳『ロマの血脈』（竹書房）】
⑤　*The Doomsday Key*【二〇〇九：邦訳『ケルトの封印』（竹書房）】
⑥　*The Devil Colony*【二〇一一：邦訳『ジェファーソンの密約』（竹書房）】
⑦　*Bloodline*【二〇一二：邦訳『ギルドの系譜』（竹書房）】
⑧　*The Eye of God*【二〇一三：邦訳『チンギスの陵墓』（竹書房）】
⑨　*The 6th Extinction*【二〇一四：邦訳『ダーウィンの警告』（竹書房）】
⑩　*The Bone Labyrinth*【二〇一五：邦訳『イヴの迷宮』（竹書房）】
⑪　*The Seventh Plague*【二〇一六：邦訳『モーセの災い』（竹書房）】
⑫　*The Demon Crown*【二〇一七：邦訳『スミソニアンの王冠』（竹書房）】
⑬　*Crucible*【二〇一九：邦訳『ＡＩの魔女』（竹書房）】
⑭　*The Last Odyssey*【二〇二〇：邦訳『タルタロスの目覚め』（竹書房）】
⑮　*Kingdom of Bones*【二〇二二：本書】
⑯　*Tides of Fire*【二〇二三年六月刊行予定】

シグマフォースが初めて登場したのは『ウバールの悪魔』においてだが、これは司令官に就任する前のペインター・クロウが主人公の話で、グレイ、モンク、キャット、コワルスキなど、その後の作品で中心的な役割を果たす隊員たちは登場しない。当初、アメリカで『ウバールの悪魔』はシグマフォース・シリーズに含まれていなかったが、後に作者のホームページなどでシリーズ最初の作品として扱われるようになった。そのため、日本での刊行順は『マギの聖骨』が最初で、①②③④の後で⓪に戻り、続いて⑤⑥⑦⑧……というように、『ウバールの悪魔』を⓪として途中に挟む形になった。この『ウイルスの暗躍』がシリーズ十六作目にしてシリーズ番号が⑮なのには、そのような事情がある。

また、二〇一五年に竹書房から刊行された『Σ　FILES』は、『ギルドの系譜』までのシリーズ前半部分のガイドブック的な作品で、主な登場人物のプロフィールや各作品の概略、関連する歴史的事実と科学的事実の解説などが記されている。未読の作品について知りたい方はもちろん、これまでに読んだ作品の内容を改めて振り返りたい方にも楽しんでいただけると思う。『Σ　FILES』には、シリーズ2・5『コワルスキの恋』、シリーズ5・5『セイチャンの首輪』、6・5『タッカーの相棒』という三つの短編作品が収録されている。そのほかにも、シリーズ9・5『ミッドナイト・ウォッチ』（『イヴの迷宮』上巻に収録）、シリーズ10・5『クラッシュ・アンド・バーン』（『モーセの災い』上巻に収録）、シリーズ11・5『ゴーストシップ』（『スミソニアンの王冠』上巻に収録）の三つの短編作品がある。

各作品のストーリーは独立しているので、必ずしも一作目（シリーズ⓪）から順番通りに読まなくても楽しめるが、シリーズを通しての設定があったり、登場人物の人間関係の変化や各人の成長が描かれたりしているため、全体の流れや伏線をより理解したい読者には、ぜひ初期の作品も手に取っていただきたい。

ジェームズ・ロリンズはシグマフォース・シリーズ以外にも、*Subterranean*（邦訳『地底世界 サブテラニアン』（扶桑社））、*Ice Hunt*（邦訳『アイス・ハント』（扶桑社）。シグマに加わる前のコワルスキが登場する）といった作品や、レベッカ・キャントレルとの共著による「血の騎士団」シリーズ（マグノリアブックス）などを書いている。また、シリーズ⑦『ギルドの系譜』（および短編『タッカーの相棒』）に登場し、この作品でも大活躍したタッカー・ウェイン大尉と軍用犬のケインを主人公とした「シグマフォース外伝 タッカー&ケイン・シリーズ」（グラント・ブラックウッドとの共著）も、*The Kill Switch*（邦訳『黙示録の種子』）と *War Hawk*（邦訳『チューリングの遺産』、いずれも竹書房より）の二冊が発売されている。こちらのシリーズにはシグマフォースからクロウ司令官のほか、ルース・ハーパーという女性隊員が登場する。

なお、本書と同時に『セドナの幻日』が発売になった。これは二〇二〇年にアメリカで刊行されたジェームズ・ロリンズの短編集 *Unrestricted Access* に収録されているもののうち、『Σ FILES』やシリーズのほかの作品の中ですでに邦訳が発表されているものと、

「血の騎士団」シリーズと関連するものを除く、四本の作品をまとめたものだ。スティーヴ・ベリーとの共作で、シグマフォースのグレイ・ピアースとベリーのシリーズ作品の主人公のコットン・マローンが、アマゾンの奥地で協力して事件の解決に当たる『アマゾンの悪魔』、作者が自らのルーツに立ち返ったファンタジー作品で、ロサンゼルスを魔の手から守る少女が主人公の『ＬＡの魔除け』、闘犬の世界を犬の視線から描いた『ブルータスの戦場』という過去の三作品と、それらよりも長い「中編」の書き下ろし作品で、タッカーとケインがこの『ウイルスの暗躍』の前に巻き込まれた事件を扱った表題作『セドナの幻日』が収録されている。

この短編集と同じように過去の作品に光を当てた展開に触れておくと、ロリンズはジェイク・ランサムという少年を主人公にしたヤングアダルト向けの作品を十年以上前に二作発表している。こちらのシリーズはこれまで邦訳が出ていなかったが、このたびその第一作目が出版されることになった。ジェイクと姉のケイディが、マヤ人や古代ローマ人や恐竜が一緒に暮らす不思議な世界で冒険を繰り広げる*Jake Ransom and the Skull King's Shadow*（二〇〇九）で、『ジェイク・ランサムとどくろ王の影』として、この短編集およびシグマフォースの最新作と同じく、十二月に竹書房から発売になる。

訳者あとがきの最初で少し触れたが、ロリンズは新たにMoonFall Saga（ムーンフォール・サーガ）というシリーズを立ち上げ、その第一作となる*Starless Crown*が二〇二二年一月にアメリカで刊行された。ロリンズは小説家として活動を始めた頃にファンタジー系の作品も手がけていたが、このシリーズは久し振りとなる本格的なファンタジーものになる。舞台は自転が止まった惑星「アース（Urth）」で、そこは常に「天空の父（太陽）」に照らされる側の灼熱《しゃくねつ》の世界と、永遠の暗闇に包まれる側の極寒の世界に二分されていて、人間はその二つの世界の隙間のわずかな土地でしか生活できない。そんな世界に迫る大きな危機「ムーンフォール（月の落下）」を阻止しようと立ち上がったのは寄せ集めの一団――不思議な能力を持つ少女、王位継承順位が二番目の「予備の」王子、おたずね者のこそ泥、かつて王を裏切った騎士。追われる身となった彼らは生き延びることができるのか？　ムーンフォールから世界を救えるのか？　壮大な物語の始まりとなる *Starless Crown* の邦訳（『星なき王冠』（仮題））は来年初夏に竹書房から刊行予定なので、もうしばらくお待ちいただきたい。

シグマフォース・シリーズ⑯（十七作目）に当たる次作は、*Tides of Fire* というタイトルで二〇二三年六月にアメリカで刊行される予定だと発表になった。オーストラリア沿岸で発生した地質学的な災厄とアボリジニの神話を扱った内容で、そのほかの情報としては著者あとがきにあったように、この作品では出番がなかったセイチャンが戻ってくることと、「その冒険はすべてを変えることになる」しか明らかになっていない。邦訳は二〇二三年中に出せればと思っているが、まだ不透明な部分が多い。今後の詳しい情報の発表を待ちたいと思う。

最後になったが、本書の出版に当たっては、竹書房の富田利一氏、オフィス宮崎の小西道子氏、校正では白石実都子氏と坂本安子氏に大変お世話になった。この場を借りてお礼を申し上げたい。

二〇二二年十月

桑田　健

ジェームズ・ロリンズ
最新シリーズ始動！
〈ムーンフォール・サーガ〉
第1弾『星なき王冠』（仮題）
THE STARLESS CROWN

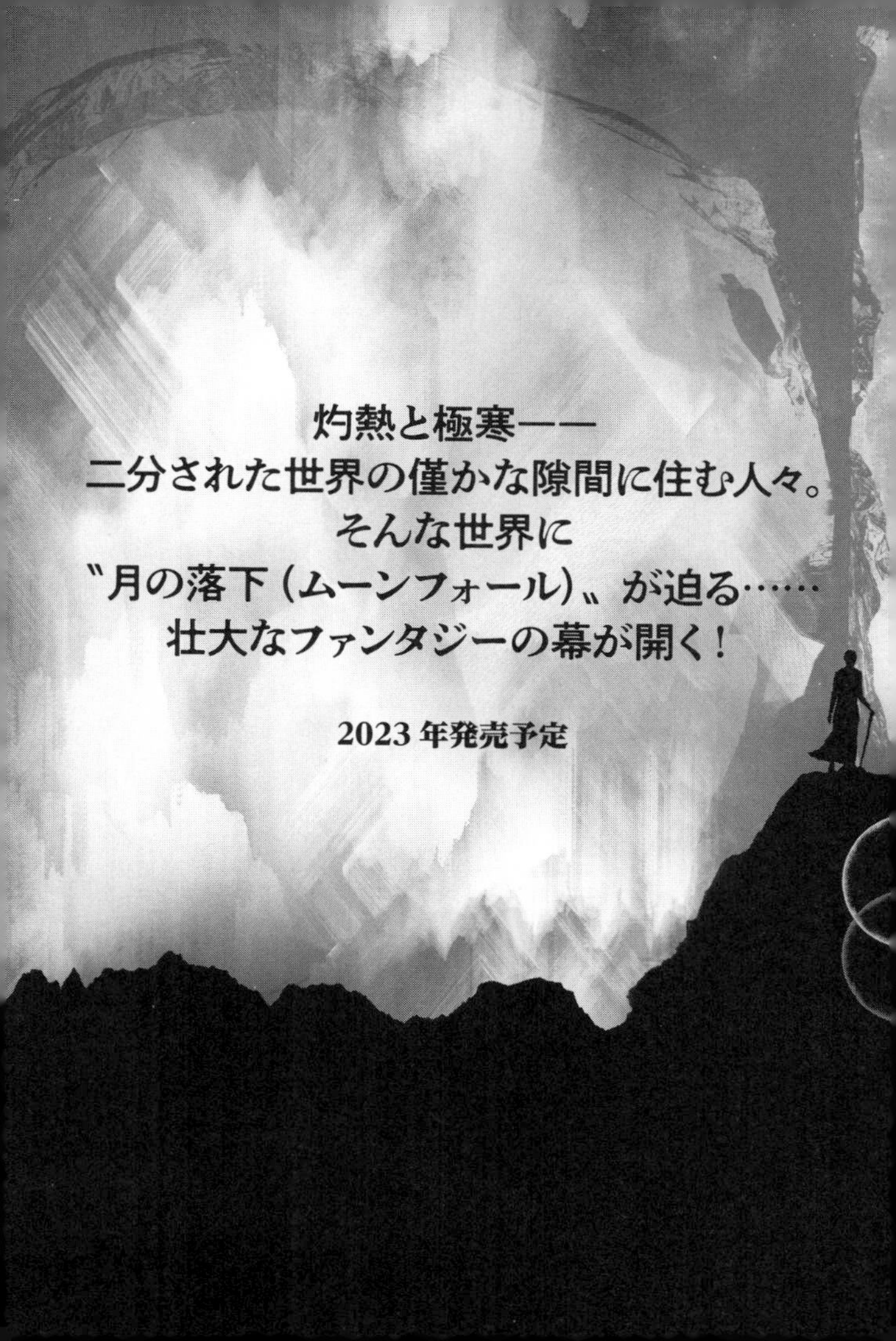
灼熱と極寒――
二分された世界の僅かな隙間に住む人々。
そんな世界に
〝月の落下（ムーンフォール）〟が迫る……
壮大なファンタジーの幕が開く！
2023年発売予定

シグマフォース シリーズ 15
ウイルスの暗躍　下
Kingdom of Bones
２０２２年１２月２２日　初版第一刷発行

著……………………………………………… ジェームズ・ロリンズ
訳………………………………………………………………桑田 健
編集協力……………………………… 株式会社オフィス宮崎
ブックデザイン…………………………橋元浩明（sowhat.Inc.）
本文組版…………………………………………………… ＩＤＲ

発行人………………………………………………………… 後藤明信
発行所…………………………………………… 株式会社竹書房
〒 102-0075　東京都千代田区三番町８－１
三番町東急ビル６Ｆ
email：info@takeshobo.co.jp
http://www.takeshobo.co.jp
印刷・製本……………………………………… 凸版印刷株式会社